Hayakawa Mystery World

少女

湊かなえ

早川書房

少女

装幀／ハヤカワ・デザイン
写真／Junichi Kusaka ／ MIXA ／ゲッティイメージズ

目次

遺　書

子どもなんてみんな、試験管で作ればいい。

選ばれた人間の卵子と精子で、優秀な人間だけを作ればいい。

それがムリなら、生まれた子どもは全員、国の施設か何かに収容されて、成人するまでそこで育てられればいい。

同じ服、同じ食事、同じ部屋、同じ教育、同じ保護者……。みんな平等な環境を与えられて。

そのなかで、努力と才能が足りなくて、落ちこぼれてバカにされたり、性格が歪んで迫害されるのなら、仕方がない。

勉強もスポーツも、見えないところで努力した。本もたくさん読んだし、音楽もたくさん聴いたし、ファッション誌もチェックした。だからといって、それを誇示したりはしなかった。

選択肢が限られている田舎町で、自分に妥協しない高い水準をキープするのは難しい。でも、毎日努力を重ねてここまで生きてきた。

迫害されるようになってからも、努力は怠らなかった。

自殺は敗北宣言だ。そんな恥ずかしいこと、絶対にするもんか。そう自分に言い聞かせながら、卑屈になることなく、前向きに耐えてきたつもりだ。

こんなことになったのは、自分のせいではないのだから、いつか必ず解放される。

——そう信じて。

＊＊

イミ、わかんない。

自殺する前はみんな、こんなこむずかしい遺書を、ブログに書かなきゃいけないのかな。あたしなら、どんなに死にたくなっても、この作業が面倒で、どうにか生きていけそうな気がする。

書くのといっしょで、読むのも苦手。同じクラスの子の遺書であっても。

彼女は昨日自殺した。自宅の風呂場で手首を切って。

親友ってわけじゃないけど、けっこう仲はよかったほうで、修学旅行はおそろいのバッグを持って、ディズニーランドでミッキーと一緒に写真を撮ろう、とか、文化祭で一緒に何かおもしろいことをしよう、とか言ってたのに。

まあ、あんなことがあったんだから、しょうがないとは思うけど……。

彼女は、顔はきれいだったし、頭もよかったし、走るのも速かったし、スカートの折り目もきれいだったし、何よりも、ちゃんと自分を持ってる子だった。

学校裏サイトに悪口を書き込まれても、匿名でしか発言できないバカなんてほっておけ、って無視するような子だと思ってた。メールで「死ね」とか送られてきても、その場で削除して、何事もなかったみたいに振るまえる子だと思ってた。体操服を汚されても、洗濯すればいい、って開き直れる子だと思ってた。

仲が良かったはずなのに、彼女をほっておいたのは、彼女が「死」というものを悟っているって知ってたから。

死とは何かを知っている彼女が、まさか簡単に死を選ぶだなんて思ってもいなかった。

担任の先生から、死ぬ前に何か相談を受けませんでしたか？　って訊かれたけど、そんなものはなかったし、彼女ならクラスの誰にもそんなことはしてないはずだ。

死ぬほど追いつめられるようなことを一番打ち明けたくないのは、同じ集団に属している人たちで、なかでも、友だちっていうことを、おとなは知らないのかな。

でも、本当に、どうしてこんなことになってしまったんだろう。

あたしの親友も、きっと今頃そう思ってるはず。

第一章

七月十七日（金）

＊

——不快地獄。

公立の女子校とはいえ、職員室と食堂以外エアコンが設置されていない、というのは健康的にどうなのだろう。全校生徒三六〇人が集まり、厚いカーテンで閉ざされた体育館内は、まるでサウナだ。おまけにいろいろなデオドラントが混ざり、公衆トイレに置かれている業務用の芳香剤のような臭いが充満している。

これから二時間、こんなところに座っていなければならないなんて、最悪だ。

夏休みまで、週末をはさんであと二日。

午前中だけのくだらない行事を続けるくらいなら、さっさと休みにすればいいのに。一年生のときは、こんなものか、と思っていたけれど、二年生になると、徒歩三十分の道のりを登校するのもバカバカしい。

でも、昨日よりはマシだ。炎天下のグラウンドで、クラス対抗ソフトボール大会。

熱中症患者続出で、養護の先生まで倒れてしまい、救護係だったから仕方なく、日陰で横になっている子たちの顔に、応急処置として氷水に浸したベショベショのタオルを被せていくと――。

殺す気か！　寝たきり老人か！　鬼嫁か！

つっこみが続出した。でも、この方法では簡単に殺せないことは、すでに実証済みだった。

今日は、人権映画鑑賞会。

こんな不快な思いをしてまで観る価値のある映画など、あるのだろうか。

タイトルは《マイ・フレンド・フォーエバー》。主人公二人の少年の吹き替えをしているのは、ジャニーズの人気アイドル二人組で、その内容は――。

母子家庭の少年。彼が引っ越してきた家の隣には、ＨＩＶに冒された少年が住んでいた。感染するという偏見のため、みなが彼を避けている。しかし二人の少年は、次第に心を通い合わせていく。

開始から二十分も経たないというのに、もう、鼻をすすりあげている子たちがいる。まだ泣くような場面ではない。みな、病気の少年が死ぬことを前提に観ているのだ。だから、楽しい場面でも泣けてくる。そろそろくる頃だ。

後ろから——来た。

ズズズズズ……。鼻を無理やり大袈裟にすすりあげる、コントのような音。

敦子だ。

誕生日にあげた一枚二千円もする〈リズ〉のハンカチで、目頭と鼻を交互に押さえている。

昔は「ごんぎつね」や「泣いた赤おに」でも泣かなかったくせに。いや、泣きまねなんかするような子じゃなかったくせに。

小学校一年生から通い始めた剣道教室〈黎明会〉には、ちょっと変わった子がいた。背が高いくせに小心者で、先生に大きな声で怒鳴られるたびに、防具をつけたまま逃げ出す子。だから、一番に名前を憶えた。——草野敦子。

お互いの家が近いことがわかってからは、一緒に通うようになったものの、帰りが一緒になったことはあまりない。荷物を届けたことは、よくある。それなのに、一年も経つと敦子は、どんな大会に出ても必ず、トロフィーや賞状をもらって帰ってくるようになった。

わたしの方が何倍もまじめに練習していたはずなのに、小学校五年生の途中で辞めるまで、敦子に勝てたことは一度もない。

運動神経が特にいいというわけではないけれど、瞬発力と反射神経がやたらとよく、間合いの外、相手が一歩踏み込んでも届かない距離から、長い足で跳び込んで面を打つ、というのが敦子の得意技だった。

自分が打たれるのは悔しかったけれど、団体戦のときなどは、敦子が「跳んだ」と思った瞬間、勝ちを確信することができ、一緒に跳んだような気になれた。

勝利の跳躍――道場の先生はそんなふうに言っていた。その跳躍により、小さな大会だったけれど、敦子が全国優勝を果たしたのは、小学校六年生のときだ。

だけど――。

中学三年生の夏、県大会の決勝、敦子は跳んだと同時に足をひねった。――らしい。

その試合をわたしは見に行っていないから、どんなふうだったのかはわからない。

敦子はそれ以来、剣道を辞めた。跳ぶことも、走ることも、思い切り体を動かすことすべてを辞めた。

スポーツ推薦で決まりかけていた、隣の市にある文武両道の名門私立校、黎明館高校も断った。

後遺症、が残るほどの怪我ではなかったはずなのに。

入ったのは伝統と礼節を重んじるたいして優秀でない女子校、桜宮高校。

入学式の日、創設時からほとんどデザインが変わらない、ダサいセーラー服の赤いリボンをいじりながら、「こんな制服着たくなかった」と悲劇のヒロインのように嘆いていた敦子は、隣で同じ制服をわたしが着ていることなど、見えていなかったに違いない。

「いいでしょ。セーラー服なんて、今しか着れないんだから」となぐさめてはみた。

「由紀はいいよ。桜宮高の桜井由紀です、なんて縁起も良さそうだし。でも、あたしは……、由紀にあたしの気持ちなんてわかるはずないじゃん」

わかるはずないじゃん。——何をわかって欲しいのだろう。

足なんかどこも悪くないくせに、体育の授業を休むということを？　些細なことで、過呼吸を起こしてしまうということを？　教室移動も、トイレに行くのも、弁当を食べるのも、一人でできないということを？

敦子は孤独で不安だということを？

そんなこと、わたしがわかったところで、どうなるというのだろう。

——スクリーンに目を戻す。少年たちは死を乗り越えることに必死だ。

ある日、遠い町で難病の特効薬が発見されたというニュースが流れ、それを求めて二人は旅に出る。しかし、それはガセネタだった。失意のまま家に帰る少年たち。そして、ついに死の瞬間が訪れる。親友に別れの言葉を告げ、静かに目を閉じる少年。

クライマックスを迎え、鼻をすすりあげる音も泣き声も最高潮に達している。

バフーン！　うううぅ……。

盛大に鼻をかむ音と、芝居がかった泣き声が、体育館中に響き渡った。敦子が〈リズ〉のハンカチで鼻をかみ、校門前で配られた予備校のティッシュで涙をぬぐっている。

逆だし、今日は一段と、やりすぎだ……。

クラスの子から迫害されることを恐れ、周囲に同調することに必死な敦子。大袈裟な動作で、逆に浮いてしまっていることにも気付かないくらいに。

――スクリーンに目を戻す。少年が川で靴を流していた。

約束の儀式を果たした少年。死がもたらすものは別れであっても、友情の終わりではない。死をもって、二人の友情は永遠となった……。

感動的な話だとは思うけれど、涙は出てこない。所詮、他人の作り話なのだから。きれいな顔をしたあの少年たちは、誰かが創作した役を演じ、「お疲れ様」とロケ弁当をもらい、お互い口もきかずに帰るのだ。

なのに、みな、「感動コンテスト」といわんばかりにハンカチを広げ、涙をぬぐっている。ふきんを片手に韓流ドラマで号泣しているおばさんを、思いきり軽蔑しているくせに。どうしようもない。

バカじゃないの?

永遠の友情なんて、現実にあるはずがないのに。まったく同じ人生を歩む、なんてありえないから、いつか別れがやってくるし、大切な人の順位も変わってくる。

だからその前に、気付いて欲しいのに。

流れてもいない涙をぬぐっている姿を見ると、永遠に無理なのではないかと思えてしまう。

——ねえ、敦子。

＊＊

二人はせっかく仲良くなったのに、病気で死んでしまってかわいそうだなあ、と思いました。健康には気をつけようと思います。おわり。

やっと書けた。あれ？　まだみんな書いてる。顔をあげているのはあたしだけ。何をそんなに書くことがあるんだろう。だいたい、みんな同じようなことしか書かないはずなのに、なんでこんなことをさせるんだろう。おもしろかったな、でいいじゃん。

「最低でも、原稿用紙の八割は書きましょう。でないと、再提出になりますよ」

三十代半ばのおばさん担任が言った。あたしを見てる。大きな字で書いたのに、八割どころか二割も書けていない。そうだ、大切なのを忘れてた。

わたしも友だちを大切にしようと思います。——これでようやく二割。

友だち、か。

窓際の一番前の席、由紀が必死で書いている。右斜め四五度を見上げて……、また書く。何書いてるんだろ。感動なんかしてないはずなのに。教室に戻ってくるとき、「よかったね」って言っても、しらっとした顔であくびをしてたのに。涙なんか、一滴も流してないはずなのに。涙、か。

由紀の涙はもう何年も見ていない。泣かないだけじゃない。喜怒哀楽の表情がほとんど顔に出てこない。笑わない、怒らない、だから、何を考えてるのかさっぱりわからない。でも、昔からそうだったわけじゃない。

小学校五年生のとき、左手にケガをしてからだ。

ある朝、由紀は左手を包帯でぐるぐる巻きにして登校してきた。「どうしたの?」って訊くと、「夜中にお水を飲もうとして、グラスを割って切っちゃった」って言われた。

そんなくだらないことで、握力が三になって、剣道を辞めた。

冗談を言っても笑わない。ウサギが死んでも泣かない。男子にからかわれても怒らない。

いつも無表情。

あたしが何かしちゃったんじゃないかな。

「最近、由紀ちゃん、ヘンなんだ。家にも来ないで、って言われちゃった」

「由紀ちゃんのおうちは、病気のおばあさんがいて大変なのよ」

ぼやくあたしに、ママはそんなふうに言った。おばあさんがいることは知ってたけど、病気だなんて。きっと、由紀は家のことが大変で、笑ったり泣いたりするヒマがないんだ。

それなら、言ってくれればいいのに。

あたしが強くなれば、大変なことを一緒に手伝ってあげられるんじゃないかな。もっとがんばらなきゃ。……でも、どんなに強くなっても、頼ってくれることは一度もなかったし、どんどん無表情になっていくばかり。

なのに、迫害されずにここまでやってこれている。

無表情で無愛想なくせに、ふとしたときの、ねぎらいの言葉やなぐさめの言葉がうまいから。由紀はちょっと違う、ってクラスの子たちは時々言うけど、その「違う」はいい意味で使われている。

そうじゃないのに。みんな騙されてる。あのときのあたしみたいに。

中三の秋、初めて、呼吸が上手くできなくなったとき。保健室で布団をかぶって震えていると、由紀が鞄を持ってきてくれた。

「大丈夫？」

「心配なんかしてないくせに、どうせ、あとで悪口書くんでしょ！」

「わたしは、パソコンもケータイも持ってないし、そんな卑怯なことしない」

握力三の左手が差し出された。

「敦子は今、暗闇のなかを、ひとりぼっちで綱渡りしてるような気持ちになってるかもしれないけど、絶対にそんなことないから。——帰ろ」

泣いた。泣いて、泣いて、泣いて、気がつくと、震えが治まってた。

由紀はあたしのことを、ホントに心配してくれてるんだ。わかってくれてるんだ。

由紀だけがあたしの友だちなんだ。


……由紀のことを考えてみても、作文用紙は埋まらない。

シャーペンを指先で一回転。創立記念日に全員に配られた、白地に緑で校章が描かれているだけの、どこから見てもショボいシャーペンだけど、由紀ならこれをお題に短編小説が一本書けるんだろうな。たとえば、……死んだカレシの形見か何かってことにして。

止まる気配のない由紀の手を見ながら、思いっきり皮肉をこめて、念力を送ってみる。

そんなにがんばって書いてると、またパクられるぞ。

＊

後ろから敦子の視線を感じる。「由紀がまた、あたしのことを書いてるかも」と、余計な心配をしているのかもしれない。わたしと敦子のあいだに、微妙に息苦しい空気が漂うようになったのは、今年の一月から。原因は分かっている。

わたしが「ヨルの綱渡り」を書いたせい。

でも、悪いのはわたしではない。仮に、わたしにも非があるのだとすれば、あの日、鞄を学校に忘れて帰ってしまったことだけど、それも敦子のせい。

去年の六月。高校一年生の体育祭の前日、グラウンドでクラスのパネルを設置する係に当たっていた敦子は、両足を脚立に乗せて倒れそうになった途端、過呼吸を起こしてしまった。近くで花飾りを作っていたわたしは、体操服のズボンのポケットから、折りたたんだコンビニのビニール袋を取り出して頭からかぶせ、保健室に連れて行き、おばさんが迎えにくるのを待って、見送った。

よくあることだった。

敦子が鞄を忘れて帰ったことに気付いたのは、その後だ。体育祭の準備を終えてから、帰りに届けようと、敦子の鞄を机の上に置いていたので、自分の鞄は机の横にかけたまま、敦子の鞄だけを持って帰ってしまった。学校指定の同じ鞄を使っているのだから仕方ない。

敦子の家に寄るためには十五分より道をしなければならない。それに合わせて、ギリギリに学校を出た。自分の鞄を忘れたことに気付いたのは敦子の家に着いたとき。あの頃のわたしには、「門限」という、学校まで引き返せない事情があった。

財布もケータイもポケットに入っているし、まあいいか。

後悔したのは、夜、ベッドに入ってから。

鞄に原稿を入れていた！

四百字詰め原稿用紙百枚の手書き原稿を、学校の帰りにコンビニでコピーしようと思い、クリップで閉じたまま入れていたのだ。

まあ……、鞄なんて、誰も開けない、か。開けない、開けない。

そう自分に言い聞かせ、体育祭の朝、いつもより早く学校に行くと、机の横にかけられたままの鞄があったけれど、中を確認すると、原稿だけがなかった。

誰かに盗まれた？　最悪だ……。

名前を書いたものを鞄に入れていなかったのは幸いだったけれど、自分が書いた小説を親しくもない他人に読まれるくらいなら、裸の写真をばらまかれる方がマシ。体育祭どころでなく、暇ができると、からになった校舎に戻り、原稿を捜しまわった。教室、図書室、情報処理室、化学室、調理室、部活動に使われるところを中心に、ロッカーやゴミ箱の中まで捜したけれど、見つけることはできなかった。

念のため、職員室も捜した。起動させたままのパソコン、三年生の成績表、こんなに無防備でいいのだろうか、とあきれてしまうようなものは見つけても、原稿だけは見つけることができなかった。

あんなにがんばって書いたのに。でも、これ以上捜しても無駄だろうな。仕方ない。

原稿は永遠に出てこないものと思うことにした。

——でも、思いがけないかたちで、敦子の目にとまることになってしまったのだ。

ヨルの綱渡り

才能を回収するには、たった一度の跳躍で充分だった。

才能とは天からの贈り物ではなく、期間限定で貸し出されるものだということを、いったいどれくらいの人が認識しているのだろう。

少なくとも、十七歳の少女、ヨルは知らなかった。「永遠などない」と世界のすべてを知り尽くしたような顔で、友情や愛について語ることはあっても、才能と永遠の関係については、想像したこともなかったのだ。

愚かなヨル。

ヨルの世界を闇で覆い尽くしたのは、ヨル自身だ。

明けることを知らないヨルの世界。彼女に見えるのは、足下から伸びるたった一本の細いロープだけ。高さも長さも、どこへつながっているのかも、わからない。

だが、これだけは感じることができた。
足を踏み外せば、世界が終わる。
怖い。
立ちすくむヨルの耳に、低い足音が聞こえてくる。徐々に迫り来る足音。
闇の支配者だ。ヤツに捕まれば、ここから永遠に抜け出すことはできない。
ヨルはおそるおそる、ロープの上に足を一歩踏み出した。
ヨルの綱渡りの始まりだ。

**

このままじゃ、再提出だ。でも今年は、「敦子、文章は己を表す鏡だぞ」とか、説教されないだけマシかもしれない。去年の担任、三十前のおっさん先生、小倉はひょろくて気弱そうなくせに、やたらと気取って自慢ばかりしていた。
国語教師というのは、仮の姿で、本職は作家で、○○や××といった作家を知ってるか？あいつらと学生時代、一緒に《虚無》という同人誌を作っていたんだが、今でも文学を金に換えずに、純粋に追求しているのは俺だけだ。

ケータイ小説もろくに読み切ったことなかったから、どっちの作家も知らなかったけど、本を読むのが好きな由紀は知っていた。

小倉がある新人文学賞を受賞したのは、十一月。

ものすごい浮かれようだったから、そんなにすごいの？　って由紀に訊くと、小倉がいつも話している作家二人も同じ賞からデビューした、って教えてくれた。本が好きな人にとっては、かなり有名な賞だったみたい。

そりゃ嬉しいだろうな。やっと仲間に追いつけたんだから。

タイトルは「ヨルの綱渡り」。

三学期最初の国語の授業、小倉が風邪で休んだ自習課題として、学年主任のおじいさん先生が、雑誌に掲載されていたその小説のはじめのところだけ、プリントにして配ってくれた。


才能を回収するには、たった一度の跳躍で充分だった。


ヨルって、あたしみたい。

それに、なんだかこれは、小倉が書いた、って感じがしない。

小倉の話し方はだらだらしていて、一つのセリフがなかなか終わらない。

近頃、駅で痴漢事件が多発しているらしいんだが、うちの学校は電車通学の生徒もたくさんいるし、中には被害にあっても勇気を出せずに泣き寝入りをしてしまうヤツもいるかもしれないから、そんなときのために、今から俺のメールアドレスを全員に教えておくから、何かあったら、そこに送ってくれ。

こんな感じなのに。「ヨルの綱渡り」を書いたのは、きっと——。

由紀だ。

そういえば、高校に入ったばかりの頃、ゆびにペンだこができてた時期があった。

ラスト一行、目の前が真っ暗になった。

ヨルの綱渡りの始まりだ。

——敦子は今、暗闇のなかを、ひとりぼっちで綱渡りしてるような気持ちになってるかもしれないけど、絶対にそんなことないから。

あのときから、ネタにしようと思ってたの？

あたしのこと、心配してくれてたんじゃなかったの？　わかってくれてたんじゃなかったの？

これじゃあ、あの子たちと一緒じゃん。

目の前では調子のいいこと言って、心の中ではバカにしてる。きっと、クラスの子たちにだってそう。ほとんど毎日図書館に行って、本をいっぱい読んでるから、ねぎらったりなぐさめたりする言葉をすぐに思いつくのかもしれないけど、ホントはそんな気持ち、どこにもないんだ。

……ひどい。

つき放されるのは怖かったけど、それでも、その日の放課後、保健室まで迎えにきてくれた由紀に、勇気を出して切り出してみた。

「なんか、『ヨルの綱渡り』って、おっさんが書いたっていうよりは、女子高生が書いたって感じで、気持ち悪いよね」

「――死ねばいいのに」

吐き捨てるようなつぶやき。できるだけ、さりげなく言ったのに。

目は遠くを向いてるし、あたしに言ったんじゃない、よね。……これ以上、由紀に小説のことを訊くのは、ヤバい、かも。

でも、小説の続きは気になった。

全文掲載されている雑誌を、町に一軒しかない本屋に買いに行ったら売り切れで、図書館には置いてなくて、インターネットの書店で検索すると、どこも在庫切れになっていた。学校ではそれなりに騒がれてたから、何人かの子に訊いてみたけど、誰も買っていなかった。プリントを作ってくれたおじいさん先生に借りに行くと、廃品回収に出したって言われた。

小倉はものすごいことみたいに自慢してたけど、その程度の盛り上がりだったのだ。あたしだって、自分のことだって思わなければ、そのままスルーしていたはず。

しょうがなく、直接、小倉に訊いてみることにした。

「せっかく読みたがってくれてるのに、悪いけど、俺もいろんなところに配って、今、手元にないんだけど、まあ、じきに単行本化されるから、高校生にとっちゃ、ちょっと高いかもしれないけれど、それを買って読んでくれ」

小倉はもったいぶった様子で、嬉しそうにそう言った。

「先生の小説って、誰かモデルがいるんですか？」

そう訊ねると、小倉はほんの少し眉を上げた。

「……敦子、かもしれない」

「え？」小倉があたしをモデルに？

「例えば、だけど、読んでくれた人が、これは自分の話だと思い、そのなかで何かを感じ取ってくれるような作品を、俺はこれからも書いていきたいと思ってるし、敦子もあの冒頭を読んで、これは自分だと思ったから、続きを読みたいと思ったんじゃないのか？」

なんだ、例としてあたしの名前を言っただけか。自信満々だし、「ヨルの綱渡り」はホントに小倉が書いたのかもしれない。いや、盗作するんなら、これくらいの言い訳は考えておくのかな。

結局、「ヨルの綱渡り」を読むことはできなかった。

小倉は今年の三月末に退職した。「作家活動に専念したい」って最後のホームルームでは言ってたけど、ホントの原因が別にあることは、クラスのほとんどの子が知っていた。「ヨルの綱渡り」は今でもまだ、出版されていない。きっと、永遠に出版されないはず。小倉はもうこの世にいないのだから。

春休みに交通事故で亡くなった、って聞いたのは、四月の離任式のとき。どんな事故だったのか、詳しいことは何も教えてもらえなかったけど、そのときあたしは由紀のつぶやきを思い出した。

死ねばいいのに……。

——チャイムが鳴った。

「後ろから前に、感想文をまわしてください」担任が言う。

結局、二割しか書けなかった。みんな、びっしりと書いてる。あらすじとか書けばよかったのか。絵文字を使ってる子もいる。そうか、メールのつもりで書けばよかったんだ。あたしだけ再提出だったらどうしよう。体育の補習も受けなきゃいけないのに。

——由紀、お昼ごはん、つきあってくれるよね。

＊

百席もない狭い食堂内は、午後から部活動にでる子たちで混み合い、ようやく端の方に三人分の席を見つけることができた。わたしと敦子と——紫織。

わたしの並んだカレーライスの列はすぐに順番がまわってきたけれど、敦子と紫織が並んでいるハンバーグドリアの列は、なかなか先に進まないようだ。二人はなんだか楽しそうに話している。盛り上がるのは勝手だけど、笑ったあとに敦子がいちいちわたしの方を振り返るのが気に入らない。わたしがヤキモチをやいているとでも思っているのだろうか。

敦子とのあいだにワンクッションほしい。

そんな時に現れたのが、紫織だ。

二年生から編入してきた彼女に、声をかけようとする子はあまりいなかった。クラス替えがないせいか、一年生のときにできあがったグループに、誰も新しいメンバーを加えようとしなかった。そのうえ、彼女自身、気軽に声をかけることをためらわせるような、どこか影を帯びた不思議な空気を醸し出していた。

しばらくして、彼女は黎明館高校から来た、ということがわかった。数学の授業中、学年主任の先生が、難しい問題をすらすらと解いた彼女に対し、「さすが黎明館」と言ったのだ。そんな名門校から、なぜこんなつまらない高校に転校することになったのだろう。絶対に何かある。単純にその何かを知りたかった。

よかったら、お弁当、わたしたちと食べようよ。

ありきたりの声のかけ方をして、それ以来、わたしと敦子のあいだに、ときどき紫織が加わるようになったけれど、「何か」についてはわからないままだ。

熱々のハンバーグドリアをトレイに載せた二人が、ようやく席に戻ってきた。わたしのカレーライスはすっかり冷めている。

「待たせてごめん」紫織が言った。

「由紀もハンバーグドリアにすればよかったのに」

敦子は座ると同時にスプーンを握り、半熟卵の黄身をつぶした。とろとろの黄身とホワイトソースがからまったハンバーグはとてもおいしそうだけど、ひとくち食べさせて、とは絶対に言わない。

「夏休み、どうすんの?」

敦子が紫織に訊いた。

「休みのあいだは、東京の親戚の家で過ごすの。ここにはいたくないんだ……」

「えー、いいなあ、東京」

大袈裟にうらやましがりながら、わたしには何をするのか訊いてこない。多分、こっちから訊いて欲しいのだろう。そんなこと、しない。

「紫織、今日の映画どうだった?」話題を変えた。

「よかったけど、泣くほどじゃ、なかったかな。感想文もほとんど白紙」

「あたしと、一緒。由紀なんか、泣かないくせに、感想文はしっかり書けるんだから」

嫌味っぽく敦子が口を挟んだ。

敦子が書けないのは納得できる。周りに合わせていただけで、本当は感動なんかしていないから。それを補う想像力も持ち合わせていないし、少しの感動を様々な言葉で表現するボキャブラリーも持ち合わせていない。でも、紫織が書けないとは、信じられない。

きっと、意図的にそうしたはず。

「わざと?」

紫織は少し困った顔で微笑んだ。そして、視線を一度、閑散としてきた周囲に向け、しばらく何か考えたあと、わたしと敦子を交互に見ながら、声を潜めて言った。

「ねえ、あんたたち、死体を見つけたことがある?」

《スタンド・バイ・ミー》のことだろうか。

黙ったままのわたしたちを見て、紫織は続けた。

「わたし、今日の映画を観て泣くことができる子って、きっと、死に触れたことがないからだと思うの。死が日常とかけ離れたところにあるから、簡単に主人公の気持ちに同調できて、何も考えずに泣けるんだと思う。――あんたたちにになら、話してもいいかな」

紫織はわたしたちから視線を外し、語り始めた。

「この学校に来て、あんたたちが仲良くしてくれるのは嬉しいんだけど、ちょっと辛かったりもするのね。あんたたちって、ホント、お互い理解しあってる、って感じでしょ。わたしにもそういう子がいたの。

黎明館に入って、最初に声をかけてくれた子。なんでこんなに同じことばかり考えてるんだろうって不思議に思うくらい気が合って、二人でいろんなおもしろいことを考えて、毎日、楽しかったな……。彼女は家が遠かったから、親が学校の近くにマンション借りてくれていて、よく泊まりにも行ってた。夜通し話して、二人で遅刻して、怒られて、でもそんなの全然平気で、わたしたちは何でも相談しあえる、親友だと思ってた。

でも、そう思ってたのは、わたしだけだったみたい。

今年の二月、彼女が無断欠席したの。学校に連絡しなくても、わたしには絶対に連絡くれてたから、担任も朝イチでわたしに訊いてきた。すぐにメールしたけど、返信がなくて、電話をかけても出ないから、心配になってマンションまで行ったの。

ピンポン押しても返事がなくて、合い鍵使って中に入ったらシャワーの音がして、なんだお風呂に入ってたのか、それならおどかしちゃえって、ユニットバスのドアをドンドン叩いてやったのね、でも、まったく反応がないの。

おかしい、って。そう思ったら、急に怖くなって、足がガクガクしてきた。でも、勇気を出して開けたの。そうしたら、彼女、バスタブの中に倒れてた。カミソリで、手首切って、血がいっぱい流れてて、顔が真っ白で、目の前で起きてることが理解できないのに、なぜか、彼女がそこにいないってことだけが実感できた。

目の前に姿は見えてるのに、いないってわかるの。それが、本当の死なんだよ。

だから、映画を観ても泣けない。どんなに上手に死の演技をしたって、そこにいるんだもん。そういう感覚ってわかる？　ああ、ムリして答えてくれなくていいから。ごめんね、こんな話をして。でも、今日の映画を観て、泣かなかった由紀や、安っぽい言葉で感想を書かなかった敦子なら、わかってくれるんじゃないかな、って思ったんだ」

昼間の食堂でまさかこんなことが語られるとは。「何か」は友だちの自殺だったのか。

敦子も紫織に釘付けになっている。

「紫織、そんなことがあったんだ。辛かったよね。だから転校したんでしょ。……で、自殺の原因は何だったの？」

ストレートすぎる。でも、わたしも気になる。

「わかんない、それがわかんないのが、一番辛いんだ……。よかったら、これも見てくれる？

彼女の遺書」

紫織はケータイを取り出し、ある受信メールを見せてくれた。敦子は横からのぞき込んできたけれど、途中でリタイアしてしまった。長すぎたから。抽象的な表現ばかりが続き、学校で迫害されていたことを臭わせてはいるものの、肝心の自殺の原因ははっきりと書かれていない。最後はこう。

このまま生きていくのって、ちょっとムリっぽい。リセットするね。バイバイ。

開いたままのケータイを紫織に返しながら、ふと、受信日時が三月の日付になっていることに気がついた。

「二月に死んだのにヘンでしょ。しばらく経ってから、彼女のママがケータイに残ってたのを、わたし宛になってるからって、送信してくれたんだ。こんなに長いの打ったんならちゃんと送ってよ、って感じ。そしたら、すぐに駆けつけて……」

紫織は最後まで言わないまま、すっと顔を天井に向け、ケータイを両手で握りしめた。涙が流れないようにするために。泣きたいのに、無理をしてそれを耐えている姿は、泣くより深い悲しみを醸し出している……のだろうか。

「かわいそう……」

敦子がくしゃくしゃになったハンカチを取り出して、目頭を押さえる。

かわいそう？　わたしもそう思いながら聞いていたけれど、だんだんと、ちょっと違うんじゃないか、という気がしてきた。紫織は、親友の死を悲しんでいる、というよりは、うっとりと自分に酔いしれているような……。

ねえ、聞いて！　わたしの親友は死んでしまったの。わたしは今、必死でその悲しみを乗り越えようとしているの。わたしは本当の「死」を知ってるの。だから、他の子たちとは違うの。あんたたちとは違うの。

そんな心の声が聞こえてきそう。それってただの——自慢じゃないか。

……でも、正直、少しうらやましい。どうしてだろう。

不幸自慢ほど恥ずかしいものはないけれど、もししなければならないのなら、紫織に負けない自信はある。でも、紫織はそれをうらやましいと思うだろうか。

「ねえ、わたしも訊きたいことがあるの」

涙がたまったキラキラとした目がこちらに向けられた。

「……何？」

「由紀の左手のキズ、ってどうしたの？」

「これ？」

左手を目の前にかざした。手の甲の真ん中に、上下を分断するような太いみみず腫れが走っている。

「これは、おばあちゃんに……いや」

「ムリに言わなくてもいいよ。由紀も辛いことがあったんだよね。なんか、わかる……」

醜いみみず腫れを人差し指でなぞられながら、うっとりとつぶやかれた瞬間、パチンと何かがはじけるような感覚がして、無性に腹がたってきた。

わかるもんか！　あの地獄のような生活が、簡単にわかってたまるか！　死体を見たくらいで何もかもわかってるような口をきくな！

……でも、わたしは死体を見たことがない。

見たい——死体を。いや、紫織が見たのが死体なら、わたしは死ぬ瞬間を見てみたい。紫織が親友なら、わたしもそれくらい身近な人。

——誰？

敦子を見ると、ポカンとした顔で、わたしをじっと見つめていた。

＊＊

午後一時。時間通りに体育教官室に行ったのに、先生はごはんを食べに校外に出たまま、まだ帰ってきてない。きっと、あたしだからだ。敦子なんか待たせておけばいい、って思われてるんだろうな。

もうすぐ帰ってくるはずだから、って他の体育の先生に言われて、教官室のソファで待たせてもらうことになったけど、何もすることがない。

由紀は今日も図書館に行ってるのかな。もしかして、紫織とまだ一緒にいるかもしれない。

二人であたしの悪口を言ってたらどうしよう。

二人のときは三人がいいなって思ってた。二人が気まずくなっても、もう一人が取り持ってくれるんじゃないかなって。でも、三人になってみると二人がいいなって思う。

小学校より中学校、中学校より高校、って友だち関係が広がっていくのはあたりまえのことだけど、あたしの場合、広がってるっていうよりは、薄まってるって感じがする。カルピスの量はいっしょで水だけ増えていってる感じ。このままどんどん薄まって、ヘンな味の水みたいな人生を送ることになるのかな。

一人でお弁当を食べている転校生の紫織を、誘ってあげようって言い出したのは、由紀だ。「ヨルの綱渡り」以来、由紀のことがまったくわからなくなってたから、あいだにもう一人いるといいな、とは思ってたけど、まさか由紀のほうから言い出すなんて。まるで、由紀があたしに不満を持ってるみたいじゃん。由紀は、気まずくなったのが自分のせいだってことを、まるっきりわかっていない。

ずっと、二人でいたかったのに……。

それに、由紀には先月、カレシができた。図書館で、いっぱい抱えていた本をばらまいてしまって、それを一緒に拾ってくれたのがキッカケだなんて。少女マンガでも今時ありえない。でも、由紀ならありえる。

左手の握力が三だから。右手は二十。読みたい本を見つけては右手でとって、左手にどんどん重ねていくうちに、重さに耐えきれなくなっちゃったんだろうな。そんなときに助けてくれた人なら、よほどの相手じゃないかぎり、うまくいきそう。でもって、由紀は、思ってもいないことを言いながら、それなりに盛り上がってるんだろうな。

左手のキズ……それって、夜中にお水を飲もうとしてグラスを割ったせいじゃなかったの？今日までずっとそう思ってた。なのに、紫織には「おばあちゃんに」って言った。

ケガの原因がおばあさん。たぶん、こっちが本当だ。

さっき、あたしがどんな気持ちだったか、由紀はわかってないんだろうな。正直、「ヨルの綱渡り」のとき以上に、ショックだった。

どうして由紀はあたしに本当のことを打ち明けてくれなかったんだろう。

いつもつまんない話ばかりするから？〈リズ〉のこととか、お菓子のこととか。なのに、紫織は友だちの自殺の話をした。死を悟った紫織にはわかってもらえるかもしれない。そんなふうに思ったのかな。

死ぬ、って何だろう。あたしだって、みんなから嫌われても、死ぬよりはマシだってことくらいわかってる。ただ、「死」っていうと、他人を傷つけるときに使う「言葉」ってイメージのほうが強くて、あまり想像できないから、どんなふうにマシなのかはよくわからない。それがわかれば、……どうなるのかな。

死を悟る。

紫織みたいに死体を見たら……。

「敦子、待たせたな」

五十代のおっさん先生が入ってきた。あたしを呼び出した体育の先生。口につまようじなんかくわえて、ぜんぜん申し訳なさそうじゃない。

「体育の補習、夏休み中に、ボランティア活動でもするか」

「ボランティア、って、何するんですか？」

「老人ホームの簡単な手伝いだ。ほら、生徒会で交流しているところがあるだろう。そこの職員が一人、急に辞めたらしくて、学校に短期のボランティア要請がきてるんだ。それで、一学期の欠席分を補うってのはどうだ」

いやがらせ？　あたしは別に体育の授業をさぼったわけじゃない。思いっきり体を動かそうとすると、呼吸ができなくなってしまうから、しょうがなく見学してたのに。走るより、じっと座って見ているほうが何倍もつらいってことを、無神経なこのおっさんはわかってないんだ。

でも……。

老人ホームなら、体の弱いお年寄りばかりいるんだろうし、死体を見ることができるかもしれない。死体を見て、死を悟る。まさにそうしてくださいって言ってるような場所じゃん。これは、チャンスかもしれない。

「行きます」

「おお、敦子にしては決断が早いな。なんなら、相棒も誘うか？　一学期は陸上競技が中心だったけど、二学期は球技が中心になるからな。そうしたら、あいつ、できないだろ。補習の先取りさせとくか」

「……。それ、多分いやがると思います。先に、できないって決めつけられるの」

「さすが相棒、それもそうだな。じゃあ、敦子だけ、申し込んどくわな」

「え？　あたしだけ？」

「もともと、一、二名、という要請だ。由紀が行かないなら、おまえだけで充分だろ」

てっきり、生徒会のボランティア活動のように、五、六人のグループで行くって思ってた。そのなかに由紀はいらない、って思ったのに。一人でなんて、あたしにできるのかな。

でも、由紀抜きで死を悟らなきゃ、意味がない。

＊

父と母とわたしの三人で夕飯の食卓を囲む。でも、会話はほとんどない。家族団欒《だんらん》のやり方を忘れてしまったから。三ヶ月前まで、台所の隣の部屋では、朝食時には「朝の会」、夕食時には「帰りの会」が行われていた。

「今月の生活目標は、挨拶をしよう、です。みなさん、大きな声でしっかりと……」

おばあちゃんの訓示が続き、それを聞こえないふりをしながらご飯を食べるのが、数年続いた我が家のルールだった。

我が家に異変が起きたのは、小学校五年生になったばかりの頃。

ある日、学校から帰ると、おばあちゃんがスーツを着ていた。すでに定年退職していたからスーツ姿を見るのは久しぶりで、どこかに行ってきたのかと思い、そのまま無視して部屋に入ろうとすると、背中にビシッと衝撃を受けた。

振り返ると、おばあちゃんは怖い顔をしてわたしを睨み付け、手には、教師時代に愛用していた、五十センチの竹ざしが握られていた。

「年長者に対して、なんだ、その偉そうな態度は！　藤岡、おまえはいつもそうだ。少し勉強ができるからといって、まわりの人間を見下している」

おばあちゃんの説教はしばらく続き、わたしは呆然とそれを聞いていた。

ただいまの挨拶をしなかったのが、いけなかったのかな……。でも、フジオカって誰だろう……。

それが、元小学校教師、並ならぬ努力を重ね、校長にまでなったおばあちゃんの、痴呆の始まりだった。

初めは、二・三日おき、ふとした拍子に、家族の誰かを教え子の誰かに重ね（わたしはいつもフジオカだったけれど）説教をしたり、ものさしを振り回したり、時には褒《ほ》めたりもしていた。そして、徐々に、先生が尊敬され、絶大なる権力を持っていた頃の自分に逆戻りしていき、そこから帰ってこなくなってしまったのだ。

おばあちゃんはもともと時間に厳しい人で、五分前行動などはあたり前のことだったけれど、呆けてからはそれがさらにエスカレートしていった。人の知能には結晶性のものと流動性のものがあるらしい。徳川家歴代将軍の名前を全員覚えている痴呆症の老人が、さっき食べたご飯のことは忘れているのは、いやがらせではなく、知能の種類が違うのだ。

その理屈でいけば、おばあちゃんの頭の中は規則や規律といったものが、時計と一緒に貼り付いていたのだと思う。起床も食事もそれぞれの門限も、五分前までに守られなければ、ものさしが飛んできた。言い訳の余地はない。反省したとみなされるまで、背中や腕にものさしが振り下ろされ続ける。刃向かえば、刃向かうほど、終わりが見えなくなる。神妙な顔をして受けていれば、三から五回程度で済むのだから、黙って耐えていればいい。

小柄なおばあちゃんが一人、ものさしを振り回したところで、そんなに大袈裟に騒ぐことじゃないでしょ。そう言ったのは、うちから自動車で十五分くらいのところに住んでいるおばだった。なら、一週間ほど面倒を見てくれ、とおばあちゃんを渡すと、三日目の晩に、だんなさんであるおじが、おばあちゃんを返しにやってきた。

このままでは殺される。

おじは額に大きな絆創膏を貼っていた。

ならば施設に入れようと、役場に申し込むと、あっさりと断られてしまった。体はどこも傷んでいなかったから。

隣の部屋から声が聞こえなくなってからも、みなそれぞれの世界に浸りながらご飯を食べている。いや、父と母は何を思っているのかわからない。でも、わたしは、ここではないどこか遠い世界に思いを飛ばしながら、この家での時間をやり過ごしている。

＊＊

歯を磨いて、お風呂からあがったよってママに言ってから、自分の部屋に戻る。お風呂に入るのは、あたし、パパ、ママの順番。剣道で汗まみれになって帰ってくるからそうなってたけど、そうじゃなくなっても、パパの入ったお湯につかるなんて考えられない。それじゃあ、おっさん臭が体についてしまって、お風呂に入った意味がない。

でも、パパのことは好き。

晩ごはんのとき、体育の補習の代わりに、ボランティアで老人ホームに行くことになった、って報告した。ごはんのときはテレビを消して、ママの作ったおいしい料理を囲んで、みんなでその日にあったことを話すのが、わが家の習慣。

ママは、「体育の授業に参加できないのは、敦子のせいじゃないのに」って少し怒ってたけど、パパは「福祉活動に参加するのはいいことだ」って賛成してくれた。

敦子はおじいさんやおばあさんがみんな早くに亡くなったせいで、高齢者と接したことがないから、いい社会勉強になるんじゃないか？　それに、誰かの役にたつということは、自分の自信につながるはずだ。

それを聞いて、ママも賛成してくれた。あたしに足りないのは「自信」なのかな。普通にしてるつもりだけど、周りから見ると、びくびくしているように見えてるのかな。がんばって、みんなに合わせて、明るく、明るく、ふるまってるのに。

でも、多分、そんなふうに見ているのは、パパとママと由紀くらいだろうな。もしも、クラスの子たちからもそんなふうに見られてたら、きっと、ここに何か悪口を書き込まれてるはずだから。

寝る前にパソコンを開いて、「学校裏サイト」をのぞくのが、あたしの習慣。

「S先生の息子の父親は、教頭先生だって」

「M先生はかつら。毎日、暴風警報発令中！」

「Kは妊娠4ヶ月。夏休み中に堕ろさなきゃ、超ヤバーイ！」

SもMもKも誰だかわかる。書き込んでる子も誰だか想像できる。昼休みとかにも同じようなことを言ってるから。おもしろい作り話だってわかってるけど、両方の顔がリアルに浮かぶと、もしかするとホントに、S先生は教頭と不倫していて、M先生はかつらで、Kは妊娠してるんじゃないか、って思えてくる。

ときどき、本当のことも混ざってるし……。


「A子がずっこけたせいで、全国大会行けなかったよー」

「A子、推薦来たってチョーシこいてた」

「自分さえよければいいって、サイテー」

「サイテー、サイテー、サイテー」

「あたしなら、おわびに死んじゃう」

「A子、死んだ？」

「A子、まだ生きてんの？」

中学最後の県大会、団体決勝、二対二で持ち込まれた大将戦で、あたしは負けた。お昼に何を食べたのか、相手の子からにんにくのものすごい臭いがして、いつもの間合いよりも遠くから跳び込んだら、バランスをくずして、小手を取られ、そのまま転んで足をねんざしてしまった。取り返せないまま、時間切れ。

敦子のせいじゃないよ。気にしちゃダメだよ。

メンバー全員がなぐさめてくれた。仲間っていいな、って思ったのに——。

剣道を辞めて、スポーツ推薦を断ると、すぐに、掲示板から「A子」の字は消えた。これでよかったんだ。みんなに嫌われてまで、剣道をしたいとは思わないし、いい学校に行きたいとも思わない。

初めて呼吸がおかしくなったのは、あたし以外のメンバー全員が、黎明館高校に受かった、って知ったとき。


あたしが自殺してたら、あの子たち、どうしたかな？

裏サイトに書かれた悪口が原因で自殺した高校生のニュースが大きく取り上げられてからは、ここも先生たちのチェックが入ってるかもしれないのに、こうして普通に悪口が書けるなんて、ホントに勇気があると思う。

一度だけ、他の学校の裏サイトに書き込んだことがある。そのときはものすごくハラが立ってて、深く考えずに書いたけど、次の日の朝からは不安でたまらなかった。あたしが書いたってバレるはずないのに、仕返しをされるような気がして、怖くてそこのサイトには、二度と行かないことにした。あれから半年以上たつのか。

見ているだけで充分。他人のことで少し笑って、自分のことが書き込まれていないことにホッとする。そうするとよく眠れる。

こういうのも、ネット依存症っていうのかな？　それならきっと、学校中のほとんどの子が依存症だ。

裏サイトなんか気にしない自分になりたい。

由紀は高校生になってケータイを持ち始めたけど、裏サイトなんかのぞきに行ったりしないんだろうな。たまたまのぞいて、自分の悪口が書かれていたとしても、書いた子たちのご機嫌を取るようなこと、絶対にしないはず。くよくよもしない。自殺なんかありえない。しらっとした顔をしながら、ものすごい仕返しを考えるんだ。

由紀は強い。

裏サイトに悪口を書かれても、死ぬよりはマシ。なのに、こんなにも意識するのは「死ぬ」ってことがわかってないから。

あたしも強くなりたい。

そのためにはやっぱり、死を悟ってみたい。

＊

部屋に戻り、一人になると、紫織の話を思い出した。

誰にも言わなかった怪我の本当の原因を、うっかりもらしそうになってしまうほど、うらやましいと感じてしまった、死の話。

身近な人が死ぬ瞬間を見たい。

一番死んで欲しいのは、おばあちゃん。死んでくれと何度も望んだ。初詣《はつもうで》に行って、今年こそお迎えがきますように、とお願いしたこともある。いや、それどころか、自分の手で送ろうとしたこともある。

でも、死なない。年寄りにありがちな病気にかかるたびに、今度こそと期待しても、数日後には何事もなかったかのように復活し、そのたびに、失意の底に突き落とされていった。もう、あの人の死はとっくにあきらめている。

それに、今はもう、あまり関わりたくない。

身近な人。父や母に死なれると今後の生活が大変だし、敦子は……考えたくない。

紫織が触れた死は自殺だった。同じ死に触れたければ、てっとり早く、自殺サイトでものぞきにいって、作戦を練ればいいと思う。でも、なるべく自殺は避けたい。

自殺ほどつまらない死に方はない。

想像力が乏しいくせに、自分では知性があると思ってる人が、自殺を選ぶ。自分が想像する世界だけがすべてだと思い込み、それに絶望して死を選ぶなんて、なんて短絡的なのだろう。

そんな人の死よりも、もっと生きることにどん欲な人の死を見てみたい。

ああ、この人はもっともっと生きたかったのだろうな。この人の思い描いていた世界はどのようなものだったのだろう……。そんな想像力をかき立ててくれる死はどこにあるのだろうか。

考えるのも面倒になってきた。本でも読んでいる方がマシだ。学校帰りに図書館に寄って、小倉の友人という作家の新刊を借りてきていた。

小倉があっけなく交通事故で死んでしまったのは本当に残念だ。家族の意志でか、新聞にも載らなかった。そこそこ有名になってから、盗作のことをバラしてやろうと思っていたのに。

何だろう、これ。

本のあいだに、貸し出し票と一緒に手作りっぽいチラシが挟まれている。

朗読ボランティア募集。

薄い水色の紙に、手書きの文字。

本が大好きなあなた。楽しい仲間と一緒に、本の読み聞かせをしませんか？

〈小鳩会〉というグループが、夏休みのあいだ、子どもや老人に本の読み聞かせをするボランティアを募集しているようだ。活動場所は市内の老人ホーム、S大学付属病院小児科病棟、他。

小児科病棟か。S大付属くらいの規模だと、病状が深刻な子どもたちがたくさんいるんだろうな。難病に冒された少年、今日観た映画のような……。

これに参加するというのはどうだろう。

ボランティアで知り合った子どもなら、ある程度仲良くなっておけば身近な人と言えるだろうし、死んだ後、わたしが困るということもない。

でも、わたしに読み聞かせなどできるだろうか。すらすらと読むことはできても、笑顔にはまったく自信がない。アルバイトのように面接があれば、不合格は確実だ。

笑顔の練習をしてみようか。いや、大丈夫。子ども相手なら、昔話を読んだりするのだろうけど、大抵の昔話に笑顔は必要ない。「さるかに合戦」や「かちかち山」など、笑顔で読むと、かえって不気味になるだけだ。

申し込みは、小鳩会の代表、岡田という人のケータイに連絡するようになっている。早速、週明けにでも、電話してみるとして……。

どんな気分になるのだろう。

未来がずっと先まで続くと信じ、夢と希望に満ちていた、自分より若い子どもの死の瞬間。その子の年齢までさかのぼり、自分の人生がそこで終わっていたとしたらどうだろう、などと想像し、あの地獄のような生活も、死とくらべればたいしたことではない、と思うことができるだろうか。世界は広いのだと自分に言い聞かせなくても、今ある世界がすばらしいのだ、と思うことができるだろうか。

自分が触れた死を、誰かに自慢したいと思うだろうか。

何も予定がなかった夏休みに、思いがけず大きな目標ができ、とても楽しみになってきた。

第二章

**

七月二十七日（月）

やっと見えてきた。

特別養護老人ホーム〈シルバーシャトー〉。去年できたっていう、白い壁に赤い屋根のメルヘンチックな建物は、童話に出てくる森の中のお城みたい。

そういえば、クラスの派手派手グループの誰かが、「ラブホかと思ったら、老人ホームだった」って言ってたことがあるけど、もしかすると、ここのことかもしれない。

でも、こんなに時間がかかるなんて。

夏休みなのに、いつもと同じ朝七時に起きて、八時に家を出た。家から駅まで徒歩七分、電車に乗って二十分、駅前からバスに乗って二十分、山の麓《ふもと》のバス停から、山の中腹に向かう舗装されていない一本道を歩く。

服装の指定はなかったけど、いちおう補習だから、体操服を鞄に入れて、制服を着てきたけど、革靴は失敗だったかも。

学校でもらった地図には「バス停から徒歩十分」と書いてるのに、もう二十分歩いてる。人並み以下のペースなのかな。登下校中に、由紀から苦情がでたことはないけど……。施設の案内なんかは、便利さをアピールするために、サバをよんで少し短めに書いているんだろうな。

由紀も誘えばよかった……。

一人でなんて、やっぱムリっぽい。帰りたい。でも……。

のどが渇いたけど、周りには何もない。コンビニも自販機も、ショボい商店さえもない。十代のあたしでもこんなに息があがっているんだから、お迎え前のおじいさんやおばあさんなら、寂しくなって脱走しても、バス停につくまでに死んじゃうんじゃないかな。

いや、そういう目的で、こんな山の中に作られてるのかも。捨てられた人たちが集まる場所。

……意外となじめるかもしれない。

余裕を持って出てきたはずなのに、指定の時間、十時ちょうど。

エントランスを入って右手の、事務室のカウンターで名前を言うと、すぐに担当の人を呼んでもらえた。学校から連絡がいってるみたい。

それにしても、これが老人ホーム？

吹き抜けの天井、シャンデリア、観葉植物、柔らかそうなソファ……。廊下の向こうに、水色にハイビスカスのアロハシャツを着ているおじいさんもいる。旅番組で観るリゾートホテルみたい。

だけど、決定的に違うことが一つある。

——なんか、クサい。冷蔵庫の中の肉や魚からこんなにおいがしていたら、絶対に捨てる。そんなにおい。死ぬ直前の人たちからは、こんなにおいがするのか。

「臭いますか？」

心臓が止まりそうになった。いきなり後ろから、それも、思っていたことを言い当てられるなんて。来た早々、感じ悪い子だなって、思われたらどうしよう……。

振り向くと、三十代半ばくらいのキリッとしたおばさんが立っていた。胸に「大沼」と書かれたプラスティックのネームプレートが付いている。

「リーダーの大沼です。奥の部屋で簡単な説明をするので、ついてきてください」

休みの日にやってきたことにも、この距離をやってきたことにも、ねぎらいの言葉はなく、それだけ言うと背中を向けて、廊下をすたすたと歩きだした。

——と、廊下の向こうを歩いているアロハのおじいさんが少しよろけた。

バシンってものすごい音が廊下に響く。壁に立てかけていた畳が倒れるのと同じ音。小柄なおじいさんが、動くおもちゃのネジがきれたみたいにゆっくり止まって、パタンってなるような倒れ方だったのに。そんなに重いってこと？

大沼さんはすでにアロハのところにいる。

近くにいた介護士っぽい人に指示を出して、二人で近くの部屋にアロハを運び込む。ここは医務室だったのか、ってあたしがその部屋の前についたときには、すっかりと落ち着いた顔で廊下に出てきていた。

「さっきの人、大丈夫でしたか？　あの、あたし、走れないんです。呼吸が乱れるっていうか……。あ、でも、歩くのはぜんぜん平気だし、走るのも、ゆっくりならいけるかも、って」

なんであたし、言い訳してるんだろ。

「気にしなくていいですよ。何かあったら、すぐに、誰か職員を呼んでください」

大沼さんはまた廊下を歩き出した。あんたなんかあてにしていない、背中がそんなふうに言ってるように見える。そっちが学校に頼んだんじゃないの？

なんであたし、こんなところに来たんだろう。

……死ぬところを見るためだ。倒れて大きな音がしたくらいで、びびってる場合じゃない。

大沼さんは「所長室」とプレートのかかった部屋の前で足をとめた。

＊

読み聞かせボランティア〈小鳩会〉の代表、岡田さんという女性とは、打ち合わせも兼ねて、十一時に駅前の喫茶店で待ち合わせをすることになっている。

まだ十分前。

応募動機が「身近な人が死ぬ瞬間を見たい」ではあまりにも不純すぎるだろうと、「夏休みという自己学習の時間を通じて、人とのふれあいや思いやりを学びたい」ということにして電話をかけたのに、名前と学校名と電話番号を言っただけで、メンバーに加えてもらえるなんて。わりと自由な集まりなのかもしれない。

月・火がS大付属病院、水・木が公民館、金が市内の老人ホーム。電話をかけた日が水曜日だったから、金曜日に来てみませんか？　と誘われたけれど、老人ホームなど一番勘弁してもらいたい場所だ。

別の用事もあるので、月・火だけの参加でもいいですか、と訊ねると、あなたの心のおもむくままにご参加ください、と言われたけれど。

この団体は大丈夫なのだろうか。

でも、とりあえず行ってみなければ始まらない。夏休み、時間だけは余るほどあるのだから。

店の中に入ろうとすると、改札から出てきたおばさんが、「待って〜」と気持ち悪いくらいの笑顔を浮かべて走ってきた。厚化粧に、重そうな体、肩から大きな袋を提げている。

「岡田ですう。お電話をくださった桜井さんかしら？」

赤い口紅がべっとりとついた前歯をむき出したまま、わたしの顔をのぞきこんでくる。おまえも笑え、と脅迫しているような、おばさん臭漂うオーラに負け、三歩下がって自己紹介をした。

「桜宮高の、桜井由紀です」

喫茶店に入ると、少し早いけれどお昼にしましょう、と本日のランチの焼きうどん定食を勝手に注文され、打ち合わせが始まった。

まず、小鳩会とは、どういった活動をしているグループなのか。電話のときからなんとなく想像はできていたけれど、やはりアーメン系だった。

「――派、ご存知かしら」

カソリックやモルモンなら聞いたことがあるけれど、岡田さんが言ったのは、初めて聞く宗派の名前だ。カタカナ混じりの聞き慣れない言葉を使いながら、まわりくどく説明してくれているけれど、簡単に解釈すれば、どんな悪人であろうと、神様の前にひざまずく者は誰でも受け入れてくれる、という宗派のようだ。

やたらと、「赦《ゆる》す」という言葉が連呼されている。

別にわたしは小鳩会に興味を持っているわけではない。目標を達成すれば即バイバイ、ということで、あまり深くかかわらないでおこう。

読み聞かせの話になったのは、ご飯と焼きうどんという、腹持ちだけを意識した炭水化物の組み合わせを食べ終わり、アイスコーヒーが運ばれてきてからだった。

子ども用の本は、通常、教会の図書室から持ってくることになっているらしく、信者でない人が読む場合は、岡田さんが選んで持ってきたものを、読むことになっているらしい。

「イエス様のお話、とかそういうのですか？」

「あら、誤解しないで。わたしたちは布教のためじゃなく、子どもたちに本の楽しさを知ってもらうために、読み聞かせをしているのよ。あなたの知っている童話や昔話もたくさんあると思うわ」

それなら、安心だ。

「それにしても、あなたが参加してくれることになって、助かったわ」

今日は、わたしと岡田さん、二人だけ。小鳩会の読み聞かせボランティアに登録しているメンバーは十人以上いて、通常は三人一組になり、交代で活動をしているけれど、みな小学生や中学生の子持ちの主婦で、夏休みが始まったばかりのこの時期は何かと忙しいらしく、都合がつかないらしい。

――と、岡田さんはいきなり話すのをやめた。アイスコーヒーをズズッと吸い込みながら、上目遣いでわたしの顔をじっと見る。

「あなた、笑わないのね」

「どこか、笑うところがありましたか？」

「……ああ、そうね。今の子たちは、おもしろいことがないと笑わないのね」

そう言って、大きなため息をついた。

何が不満なのだろう。確かに岡田さんは、会ったときからずっと写真を撮るときのような作り笑顔を浮かべている。だからといって、それが好印象につながっているわけではない。

つまり、無意味な笑顔。

「まあ、いいわ。でも、子どもたちの前では笑顔でよろしくね」

岡田さんはそう言って、再びべったりと顔に笑顔を貼り付けた。青のりは気にならないのだろうか。ここまで来て、「帰れ」と言われても困るので、仕方なく、わたしも少し口角をあげ、首を傾けてみる。

「そうそう、その顔。ステキよ。うふふっ。子どもたちとも、きっとすぐに仲良くなれるわ。そ・れ・に、夏休みでしょ。だから、とっておきのものを用意しているの」

「何、ですか？」

「お・た・の・し・み。うふふっ」

笑い声はよく、ア行とハ行の組み合わせで表現されるけれど、うふふ、を明確な発音で聞いたのは初めてだ。

とっておきについてはそれ以上ふれず、岡田さんは小鳩会のその他の活動――月に一度のバザーや、そこで好評のクッキーやパウンドケーキの作り方について、語りだした。

こんな話を聞きにきたのではない。わたしは、人が死ぬ瞬間を見たいのだ。

目の前の岡田さんがいきなり心臓発作を起こす想像をしてみる。

貼り付けた笑顔が一気に苦悶《くもん》の表情に変わり、青のりがついた歯をむき出したまま、あわを吹いて倒れる。……美しくない。

何も与えてくれない死だ。

岡田さんの死をネタにして、紫織のように何かを悟ったフリをしながら（本人は本当に悟ったつもりでいるのだろうけれど）生死について語ることはできる。文章にすれば、さらによくできるはず。でも、それは結局、映画や本の感想と同じ、わたしの想像の中だけで作られるものだ。

想像を超える現実を見たいのに、現実を想像で補うのではまったくの無駄な死だ。

でも、やはり多少の演出はいるかもしれない。

その瞬間が盛り上がるであろう人物を見極め、その瞬間を盛り上げるための演出をしてこそ、最高の死の瞬間になるのではないだろうか。人選は慎重に、演出は真剣に。必要なら岡田さんも、脇役くらいにはしてあげてもいいかもしれない。

脇役候補の岡田さんは、この国の年金や医療の問題について熱く語っている。すべてはサタンが引き起こしているのだ、と。サタンのせいにできれば政治家も楽だろうな、と思っていると、悪いことをする政治家はみな、人の姿をしたサタンなのだ、と言い始めた。

この人には、この人の世界があるのだ。日常生活からほんの少し外に出れば、こんな人に出会うこともできる。共感はできないけれど、岡田さんは別世界の人ではない。同じ世界、それも、かなり近い場所にいる人。出会う価値もないけれど、害もない。

いや、敦子みたいなタイプには、岡田さんは危険かも。

そういえば、体育の補習で忙しい、とメールがきたけれど、敦子はいったい何をしているのだろう。

＊＊

「当施設は、入居者の方々が、健康で生きがいをもって生活できるよう、スタッフ一同、安心できるサービスと心のこもった対応を心がけています。どうぞ、草野さんも二週間、ここを自己学習の場として活動に励んでください」

所長室で五十代くらいの人の良さそうな所長さんから、激励の言葉を受けて、手書きで「草野」と書かれたネームプレートを受け取った。ここの職員はみんなこれをつけることになっているみたい。普通の名札なのに、なんだか嬉しい。

所長室を出ると、大沼さんが館内を案内してくれた。

三階建ての一階には、事務室、所長室、医務室、機能訓練室、その他、スタッフルームなんかがある。さっきアロハが運ばれた医務室には、近くのK病院からのお医者さんと看護師さんが交代でいつもいるらしい。そういえば、途中のバス停にK病院前があったな。

二階と三階が居室スペースで、入居者は百人。部屋は四人部屋と二人部屋と個室の三種類で、どの部屋も満員の状態。入居待ちの人もたくさんいるみたい。

二階にはその他、食堂、談話室、機能別の浴室があって、三階には談話室、多目的室、小ホールがある。

食堂の前を通ると、おつゆっぽい臭いがした。朝のみそ汁かな？　昼はスタッフルームでこの給食を食べることになっている。お年寄りと同じ物なんて、あたしに食べれるのかな。それより、ちゃんと食べさせてあげられるかな。

昨日の晩ごはんのとき、老人ホームの献立はやわらかい麺類が多いかもしれないから、ママに冷やし中華を作ってもらって、一緒に練習してみたけど、かなり大変だった。これくらいかなって長さを調節して口にいれてあげたはずの麺が、いきなりのどの奥まで入ってしまって、一口目からゲフゲフ言わせてしまったくらい。お年寄りなら、死んでしまうかもしれない。

死体は見てみたいけど、自分が殺してしまうんじゃシャレにならない。がんばらなきゃ。

ひと通り館内を一周すると、大沼さんは、階段の掃除をしていた紺色の作業服を着た三十代半ばくらいのおっさんを呼び止めて、あたしに紹介してくれた。

高雄さんというらしい。中肉中背でやや猫背。特徴のない顔。なんだか、外国映画の日本人役って感じの、おっさんの代表みたいな人だ。ずっと、下のほう、髪の毛やほこりのからまった汚いモップの先っぽばかり見てる。おとなのくせに何の覇気も感じられない。大沼さんのように、さん付けで呼ぼうっていう気にもなれない。

おっさんで充分。

おっさんは転職して、この春からここのスタッフになったばかり。介護福祉士の資格を取る勉強をしている最中で、ここでの仕事は雑用が中心。どうやら、あたしはこのおっさんの手伝いをさせられるみたい。

老人ホームのボランティアというと、なんとなく、食事の手伝いや、入浴の手伝いなんかをするもんだと思ってた。でも、そういう直接的なことは、この施設では介護福祉士の資格を持っている人がするのか。

ちょっと拍子抜けだけど、間接的な仕事ってことは、お年寄りを殺してしまう心配もなくていいわけだ。

「よろしくお願いします」

まずは第一印象が肝心、って明るく挨拶したのに、おっさんは目を合わせずに「どうも」とボソボソ声で言っただけ。なにか、気に障ったのかな。服装？　制服だし、髪型？　普通のショートだし、化粧もしてないし、言い方？

由紀なら、もっとまじめに深く頭を下げて、「精一杯がんばりますので、ご指導のほどよろしくお願いします」とか言ったかもしれない。クラスの他の子が来ていたら、「がんばりまーす」とかフレンドリーに言ったかもしれない。

ここでは、いったい誰に合わせればいいんだろう。

＊

午後一時。Ｓ大学付属病院小児科病棟のプレイルームには、パイプ椅子が十脚ずつ三列に並べられ、十八人の子どもたちと、看護師やつきそいの母親らしき人たちが集まっていた。

子どもたちの年齢はバラバラで、小学校にまだあがっていなさそうな子もいるし、五・六年生くらいの子もいる。入院しているのだから、どこか悪いのだろうし、パジャマも着ているけれど、みな普通の元気そうな子たちに見える。

普通でないのはこの部屋。後ろの壁には、色画用紙で作られたダンスをしている動物たち。ウサギやタヌキ、クマにゾウ、どれもにこにこ笑顔で、周りには花や音符が飛んでいる。窓のある壁には輪飾りが飾られ、天井からはアンパンマンとその仲間たちのぬいぐるみがつり下げられている。

楽しい気分を演出しようというのはわかる。しめっぽい気分になる場所を楽しく飾ることが悪いことだとは思わないけれど、やりすぎるとかえって、「ここは特別な場所ですよ」と主張しているように思えてくる。あなたたちは普通ではないのですよ。重い病気なのですよ。死はすぐ近くにあるのですよ。

楽しい演出は死の恐怖から逃れるお札のようなものなのかもしれない。それならなおさら、目立たず、さりげなく演出した方がよいのではないか。それとも、気分を高めるためには、これくらいやった方がいいのだろうか。それぞれの病室はどうなっているのだろう。

通常は各部屋をまわり、子どもの年齢にあった本や、前の回にリクエストされた本の読み聞かせをしているけれど、今回は「とっておきのもの」のため、わざわざプレイルームに集まってもらったのだそうだ。

岡田さんについてみなの前に出て行くと、盛大な拍手で迎えられた。

「今日は新しいお姉さんが来てくれましたよ。桜井……さんだから、みんな、さくらお姉さんと呼びましょうね」

岡田さんはわたしの下の名前を思い出せなかったのだろう。それなら訊けばいいのに、さくらお姉さんときた。しかし、ある意味、新鮮だ。

学校では、滅多に名字で呼ばれることはない。クラスに同じ名字の子が数人いるのが紛らわしく、先生たちも下の名前で呼ぶ。そういえば、敦子以外、ほとんどの子の名字を憶えていない。紫織の名字はタ行だったはず。それくらいの関わり方で普通に過ごせている。

「それから、今日はとっておきのものを持ってきました！」

岡田さんは声をワントーンあげて、肩からかけている大きな袋をポンと叩いた。

「何だと思う？」

ゆっくりと袋の中に片手を突っ込み、もったいぶった様子でかき混ぜる。

——と、人形が顔をのぞかせた。フェルトでできた素朴な顔、赤ずきんちゃんだ。子どもたちがワッと声をあげた。岡田さんは満足そうに子どもたちの顔を見渡すと、赤ずきんちゃん人形を手にはめて取りだした。

「こんにちは！　わたし、赤ずきんちゃんよ。今日は、なんと、人形劇で～す！　あれ？　舞台は？　岡ちゃん、舞台はどこ？」

岡田さんは、自称、「岡ちゃん」らしい。見た目にも合っている。少しでも友好的に振る舞えるよう、わたしも岡ちゃんと呼ばせてもらうことにしよう。

「心配しないで、赤ずきんちゃん。舞台はここ、岡ちゃんのおなかの上でーす！」

「えー、うっそだあ」

子どもたちからはしゃいだ声があがる。岡ちゃんは袋を床の上に下ろし、変身！　と赤ずきんちゃんを手にはめたままライダーポーズをとり、袋から紺色のエプロンを取り出すと、ささっと身につけた。

「さあ、岡ちゃんのエプロンシアター、赤ずきんちゃんのはじまりはじまりー。ここは森の中。木が茂り、花が咲いていています……」

袋の中から次々とフェルトでできた木や花を取り出し、エプロンにくっつけていく。あっというまに森ができた。そこに赤ずきんちゃんがやってきて——。

どうやら、わたしが手伝うことは何もなさそうだ。邪魔にならないところで、見せてもらうことにしよう。それにしても。

とっておきともったいぶって、こんなところにみなを集め、何をするのかと思えば、三段腹の上から巻いたエプロンに、人形や小物をくっつけていくだけ。それに、赤ずきんちゃんなんて、まったく目新しい話ではない。バカじゃないの？

なのに、子どもたちはみな、岡ちゃんのおなかに釘付けになっている。

岡ちゃんがおもしろおかしく演じているわけではない。

きっと、ここにいる子どもたちはものすごく純粋なのだ。当たり前に生きている人にはわからない感動を、まっすぐ吸収し、素直に表現することができるなんて、うらやましい。

エプロンサイズの世界でこれだけ感動できるのなら、想像を超えるような広い世界を見たとき、どんな反応をするのだろう。でも、この中にはそれができないまま死んでしまう子たちがいるのだ。

その可能性が一番高いのは、どの子だろう。

小さな子どもには母親が付き添っている。なるべくなら、大人抜きで仲良くなりたい。少し大きな子、四年生くらいの女の子がいる。かわいい小物をプレゼントして、一緒に雑誌を見たり、好きな男の子の話をしたりすれば、すぐに仲良くなれるかもしれない。イヤ、ダメだ。彼女は一番つまらなさそうな顔をしている。もっと、純粋な心を持った子でなければならない。

その隣には、五・六年生くらいの大きな男の子の二人組がいる。彼らは楽しそうだ。華奢《きゃしゃ》できれいな顔をした子と、デブで白い丸顔の子。顔を寄せ合い、内緒話をしている。このあいだ観た、映画の主人公の少年たちのようだ。

どちらかが難病だといいのに。できれば、きれいな子の方が……。

「岡ちゃんのお口はどうしてそんなに大きいの？」

いきなり、二人が声を合わせて言った。他の子たちも笑い出す。

「それはね……、タッチーと昴を食べてしまうためだー、ガオー！」

岡ちゃんは二人の方を向き、歯をむき出しにして叫んだ。

彼らはタッチーと昴というのか。吹き替えの二人組のようにタッチー&昴と呼ぼう。

二人に襲いかかろうと、おおかみの人形をはめた手を伸ばした岡ちゃんは、急にピタリと動きを止め、気持ち悪いくらいの笑顔を浮かべた。

「——なんてことは、おおかみさんはしていません。おばあさんのお昼ご飯を食べてしまったおおかみさんは、それだけではおなかいっぱいにならず、赤ずきんちゃんの持ってきた、おかしも食べようとしていたのです。そんなおおかみさんに赤ずきんちゃんは言いました。たくさんあるから、みんなでわけて食べましょうよ。それをきいたおおかみさんは大喜び。驚かせてごめんなさいと謝ると、赤ずきんちゃんは笑顔で許してくれました。怖くて机の下に隠れていたおばあさんも出てきて、三人で仲良く一緒に食べましたとさ。おしまい」

子どもたちから大きな拍手があがる。タッチー&昴も満足そうに手を叩いている。赤ずきんちゃんバイバイ、と人形に手をふっている子もいる。母親や看護師たちからも拍手があがる。よかったわね、と微笑みながら、子どもたちを見ている。

小学校の学級会のような円満解決。おばあさんも赤ずきんちゃんも食べられて、猟師が助けてくれるはずなのに。猟師の人形を作るのが面倒で、話を変えたのだろうか。こんな結末に、誰も違和感を感じないのだろうか。

拍手は鳴りやまない。

楽しければ、何でもいいのか。

岡ちゃんがエプロンを外し、子どもたちに向き直った。

「みんな、おもしろかった？」

「おもしろかったー！」元気な声が返る。

「みんなが喜んでくれて、岡ちゃんとっても嬉しいでーす！　もっと見たい人！」

「はーい！」全員が手をあげる。

「じゃあ、次は、さくらお姉さんにやってもらいましょう」

岡ちゃんがわたしに向かって拍手をし、子どもたちが一斉にわたしを見た。

わたし？　いきなり？

「あの、トイレ休憩は……」

とっさに浮かんだこの言葉で、とりあえず五分くらいの猶予はできたけれど……。

「エプロンシアターなんて、やったことないんですけど」

「大丈夫よ。用意しているのは、おなじみの話ばかりだから。さ、好きなのをどうぞ」

わざわざ近づいて、耳元で小声で言ったのに、岡ちゃんは大きな声でそう言うと、わたしに袋を差し出してきた。

こうなるのならどうして、打ち合わせの時にひと言いってくれなかったのだろう。バザーやサタンの話よりも、まずはこれについてきちんと説明するべきではなかったのか。思いつきで、そのとき自分の話したいことだけを話す。だから、おばさんはイヤなのだ。

このまま黙って、帰ってしまおうか。

席に戻った子どもたちがきらきらした目でこちらを見ている。何をしてくれるのかなあ、と母親に訊ねている。楽しみね、と母親が答えている。

これは、死を盛り上げるための演出だ。

袋をのぞいてみる。人形や小物は岡ちゃんの手作りではなく、市販されているもののようだ。「エプロンシアター1　赤ずきん」。話ごとに袋分けされ、サンプルストーリーもついている。赤ずきんの袋には猟師の人形が入っていた。

終わった話はいいとして、五つあるセットから、どれにしようかと選ぶ。

これにしよう。サンプルストーリーを見なくてもできそうだし、笑顔も必要なさそうだ。

三色用意されているエプロンの中から、ベージュを選んでつけ、前に出る。

「狭いステージだな。岡ちゃんの半分しかねーじゃん」

タッチー&昴の丸顔の方が言った。

あんたはどうなんだ。デブなのはもしかすると病気のせいかもしれないけれど、そのちんちくりんのパジャマはいったいどうなっているのだ。くしゃみをした途端、ボタンが飛んでいきそうではないか。――よし、これでいこう。

「ホントだ、どうしよう。もし足りなくなったら、誰かのおなかを借りようかなー」

子どもたちを見渡す。それぞれが自分のおなかを見て、笑う。やっぱり岡ちゃんのおなかがいいよ、と声があがると、前の方に立っていた岡ちゃんは「きゃー、恥ずかしい!」と両手でおなかを隠しながら、部屋の後ろの方に下がっていった。

「でも、お姉さん、今日はおにぎりをいっぱい食べてきたから大丈夫。外で食べてたら、ひとつ落としちゃったんだけど、あれは、いったいどうなったかな?」

フェルトでできたおにぎりを、エプロンにペタリと貼り付ける。

「あれ? おにぎりが落ちてる! ――最初に見つけたのは、かにさんです」

袋から取り出したかにの人形をおにぎりの横にくっつけ、「うわあ、いいなあ。ぼくの柿の種と交換してよ」と、さるの人形を右手にはめた。

「さるかに合戦のはじまりはじまり~!」

頭の中でのんびりとした音楽が流れ出すと、右手のさるは、大袈裟な身振り手振りで、おにぎりを獲得するため、調子のいいことを並べ立て始めた。

＊＊

スタッフルームで給食をたべる。

味は思ったほど悪くない、っていうか、おいしい。

ごはんと菜っ葉のおひたしと焼き魚とオレンジゼリー。学校の食堂の定食と同じような献立。味もちゃんとついている。お年寄りたちの場合はこれを基本にして、ごはんがおかゆだったり、おひたしに醬油《しょうゆ》がかかっていなかったり、全体的に量が少なかったりで個人の症状に合わせて調節されるみたい。

「わりと、おいしいですね。この魚、何ですか?」

「……サバ」

さっきから、こんな会話の繰り返し。おっさんは自分からまったくしゃべらないし、こっちから話しかけても、目を合わせようともしない。だいたい、席のつき方からしておかしい。

十二時から昼休みをとれるのは介護スタッフじゃないあたしたちくらいなのか、部屋にはほかに誰もいなくて、勝手のわからないあたしは、おっさんのあとをついて、入り口付近に置いてあるワゴンから給食のトレイを取って、開けっ放しのドアから一番近い席に座ったおっさんの向かいに置いた。そのときだ。

「え？　そこ？　勘弁してくれよ……」

露骨に困ったような顔をしてつぶやかれた。じゃあ、どこに座ればいいの？　迷って、一つずれて斜め前の席に座った。テーブルの広さは充分で、向かいに座ったところで、トレイがぶつかることはないのに。

あたしの顔が視界に入るのがイヤなのかな。確かに食欲が進むような顔じゃないけれど、減退するような顔でもない。

そんな態度を取られて、あまりよく思われていない、ってわかったけど、会話のない食事なんて考えられなくて、黙ったままごはんを食べるのが息苦しくて、いろいろと話しかけてみた。おひたしの菜っ葉は何ですか？　和食ばっかりですか？　冷やし中華とかでますか？　そんな感じで。それに対して、返事は単語が一つ返ってくるだけ。

ほうれん草、だいたいね、でたことない。

もっと、社会的な話のほうがいいのかな。年金とか、サミットとか、あとなんだろう……。これじゃあ、あたしまで無口になってしまう。おっさんとの共通の話題なんて、何も思いつかない。《ジュリア》の九月号買いました？　〈リズ〉のバッグってかわいいですよね。――絶対にダメ。

おっさんが無口で愛想のない人なら、こういう食事も仕方ないって納得できる。でも、単純にそう決めつけられずにいるから、居心地が悪い。

午前中、大沼さんからの説明のあと、早速、更衣室で、胸に校章の入った白い丸首の半袖シャツとエメラルドグリーンの長ズボンという、学校の体操服に着替えて、仕事に取りかかることになった。

車椅子のメンテナンス。

そんなのムリ。車椅子なんか見たことないし、メンテナンスっていわれても、ネジとか外したことないし、チマチマした作業は苦手。って思ってたら、おっさんに空気入れを渡された。

「これから、部屋をまわるから草野さんは、僕が調整をしているあいだ、タイヤの空気を入れていってください」

事務的な言い方だった。まあ、それなら大丈夫。

おっさんは工具箱を持ち、あたしは空気入れを持って、二階の手前の部屋、おじいさんばかりの四人部屋に入っていった。

「おはようございまーす！　気分はいかがですか？　元気になるビッグニュースです！　今日から二週間、ここにいるぴちぴちギャルがお手伝いをしてくれることになりました。草野敦子ちゃんです。どうぞ、よろしくぅ」

何か憑依《ひょうい》したの？

陽気で元気で大げさな口調。コマーシャルで見る、はっぴを着た家電量販店の店員みたいな感じ。突然の様変わりに、ホントにびっくりしたのに、おじいさんたちは別に驚いた様子もなく、あたしを見て「べっぴんさんがやってきた」って言いながら、嬉しそうに拍手をしてくれた。

「え、と、ぴちぴちギャルの草野敦子です。あの…年上大好き、カレシ募集中でーす」

おっさんに合わせた調子で、どうにか自己紹介すると、二人立候補してくれた。

「今日は車椅子を見せてくださいね」

おっさんは笑顔のまま、それぞれのベッドの脇に置いてある車椅子を廊下に運び出し始めた。あたしも一台運び出して、なぜか大きくため息をついてしまった。見ると、おっさんもため息をついてた。目が合ったからにっこりと笑ってみたら、完全にスルーされてしまった。

それの繰り返し。おじいさん部屋、おばあさん部屋、夫婦部屋、個室、それぞれの部屋に入るたび、あたしは「ぴちぴちギャル」だったり「孫にしたい高校生ナンバーワン」だったり「銀のお城にやってきたお姫様」だったり、いろいろなパターンで紹介されたけど、おっさんの陽気に元気に大げさに、は変わらなかった。二人になると無愛想になるのも。

職場の方針として、お年寄りには明るくスタッフには真面目に接しているのかもしれない、って好意的に受けとろうとしてみたけど、あまりにも態度が違いすぎる。それだけでも憂鬱なのに、さらに憂鬱なことがあった。

おっさんはドンくさい。

廊下に出した車椅子のタイヤに空気を入れてたら、ズボンのひざのあたりに、スプレーの油が飛び散った。おっさんが横からオイルをさしてきたせい。エメラルドグリーンの生地に点々と茶色い水玉模様ができている。白いシャツの裾にも。最悪だ。

車椅子は全部で四台。残り三台のメンテナンスが終わっていたわけじゃないのに、なんで、あたしが空気を入れてる最中のタイヤに、オイルをささなきゃいけないんだろう。「ちょっと失礼」ってどうして一声かけないんだろう。

「すまんね、不器用なもんで」

おっさんは無愛想に謝ったけど、同じことがその後、六回あった。

不器用ですませちゃっていいの？

おっさんが立ち上がって、食事を終えたトレイをワゴンに戻しに行く。そのまま部屋の奥にすすんで、窓際のロッカーの上に置いてある紙コップを取って、インスタントコーヒーを入れて、湯沸かしポットでお湯を注いで、戻ってくる。

一人分。おいしそうに一口飲んだ。自分のだけか。

そういえば、前に由紀が言ってたことがある。自分は不器用だという人の大半は、気が利かないだけなのだ、って。まさにこういうことだ。

でも、由紀は誰のことを言ってたんだろう。

＊

「屋根の上から、ドシーン！　臼《うす》が落ちてきました」

エプロンにくっつけているさるを押しつぶすように、勢いよく臼をくっつける。

「ぐわあああ……」とさるの叫び声。

我ながら、熱演だ。子どもたちも夢中で見てくれている。

どうだ、すごいだろう。下手くそな嘘泣きしかできない敦子に、自慢してやりたい。

さあ、いよいよクライマックス。

「そこに、子がにがやってきました。お母さんのかたき、因果応報、地獄に堕ちろ！　はさみをひろげ、さるの首をチョッキン！」

「しようと思いましたが、止めました」

はあ？　岡ちゃんがいきなり割り込んできた。エプロンからさるを取り、手にはめる。

「かにさん、ごめんなさい。許してください。おさるさんが謝ったからです。子がにさんは天のお父様の声を思い出しました。自らの罪を告白するなら、神は罪を赦し、すべての不義から清めてくださいます。おさるさんは改心し、二度と悪さをしなくなりました。めでたしめでたし」

何がめでたいのかわからないまま、「さるかに合戦」は強引に終了させられてしまった。子どもたちもキョトンとしている。

「さあ、みんな、さくらお姉さんに拍手をしましょう」

岡ちゃんに促され、子どもたちがパチパチと手を叩き、看護師や母親からも拍手があがったけれど、この、もやもやとくすぶる不完全燃焼な気持ちはどこへ持っていけばいいのだ。


子どもたちがそれぞれの病室に戻ったのを確認し、岡ちゃんが、ちょっといいかしら、とわたしの肩を叩いた。怒っている、というよりは、困ったわ、という顔をしている。

「桜井さんにはきちんと、わたしたちのグループの活動方針を伝えたわよね」

活動方針とはサタンのことだろうか。黙っていると、岡ちゃんはそのまま話を続けた。

「あなたは、今時の高校生と違って、まじめに話を聞いてたから、てっきり理解してくれていると思っていたのに。きっと、わたしの説明の仕方が悪かったのね。いい？　桜井さん、ここは普通の場所と違って、死の恐怖と闘っている子もたくさんいるの。それなのに、首を切り落として殺してしまう話をするなんて、常識の範囲で考えてみてもおかしいと思わない？」

「思いません」

「悪いことをしたから殺される。これは、究極の罰は死だと言ってるのと同じでしょ。じゃあ、死は究極の罰なのかしら。重い病気で死んでしまうかもしれないあの子たちは、何か罰を受けなきゃならないことをしたのかしら。死は罰ではありません。むしろこの世に生きていることの方が罰なのです。わたしたちはお父様と同じ世界に存在するにふさわしい人間であるか、この世界で試されているのです。それを認められた人に死は訪れるのです。だから、死は怖いものでも、悲しいものでもありません。むしろ、喜ばしいことなのです。そんな話をわたしたちは、子どもたちにいつも語り聞かせています。これで、あなたも自分の過ちに気付いたかしら」

「それなら、最初からそういう話を準備しておけばいいのに。誰でも知ってる昔話を、最後だけ変えて満足するなんて、バカみたい」

「まあ！　あなたには人を思いやるという心がないのかしら。恐ろしいわ……」

「わたしは、自分が知っている昔話をそのまま演じてただけです。文句があるなら、文部科学省とか、そういうところに言ってください。それより、わたしが怒られてるのって、病気の子に対する配慮が足りなかったからですか？　それとも、あなたがたの宗教的な考え方に反する話をしようとしたからですか？」

「そうやって、感情が追いつかなくなると、今度は理屈で攻撃しようとするのね。たいした学校に行ってるわけでもないのに。いいのよ、物語の結末なんて。あなたがそれで正しいと思うなら、将来、あなたの子どもにはそう話してあげればいいわ。でも、わたしたちの活動に参加するなら、わたしたちの考え方に合わせてもらわなければ困るの」

「それは無理です」

岡ちゃんに背を向け、部屋の隅に置いていたケータイと財布が入った小さなバッグを取り、戸口に向かった。これ以上、説教されるのもいやだし、同じ空気を吸うのもいやだ。布教のためではない、などと言いながら、自分たちの思想を押しつけまくってるではないか。病気を逆手にとって布教活動するなんて、ものすごく卑怯だ。さっさと退散だ。

でも、一度だけ振り返った。

「歯に、青のりついてますよ」

**

〈シルバーシャトー〉では、本の読み聞かせ会や音楽鑑賞会なんかの文化活動や、個人の趣味に合わせて参加できるクラブ活動なんかが定期的におこなわれている。時間は午後二時から、場所は多目的室で、曜日ごとに内容が決まっている。

午後からの仕事はこれらの手伝い。

月曜日の今日は書道部。書道部・華道部・美術部とあるなかで一番人気の部活らしい。

時間前に、おっさんと一緒に、部屋の後ろに積み重ねられている折りたたみ式の長テーブルとパイプ椅子を組み立てて、テーブルに筆入れを並べていって、新聞紙を敷いていった。

時間になると、集まってきたお年寄りたちに、半紙を配ったり、すずりに墨汁をいれてあげたりする。午前中の作業に比べるとずいぶん楽な仕事だし、おっさんと二人きりじゃないのもホッとする。

講師の先生は、自宅で書道教室を開いて五十年になるというおばあさん先生で、お上品な着物を着ていなければここのお年寄りたちと見分けがつかない。

何を書くかテーマは特に決まっていないみたいで、それぞれが好きな言葉を書いて、先生に見てもらっている。先生、先生、ってはりきって呼ぶくせに、朱色の墨汁で直されると不満な顔をしている。

今までほとんどお年寄りと接したことがなかったから、おじいさんおばあさんっていうのは、のんびりしていて優しい、ってイメージがあったけど、こうして見ると、意外と頑固で負けず嫌いな人がいっぱいいるんだな。

でも、書いている言葉はわりとかわいい。花火、すいか、まつり……。

そういえば、もうすぐ花火大会だ……。

「半紙くれ！」後ろのほうから大きな声がした。

アロハだ！　朝、廊下で倒れていたのが嘘みたいなくらい、元気そう。

根性、って書いてる。たしかにすごい根性だ。新しい半紙を渡す。

「ここで会った記念に、あんたの好きな言葉を書いてやろう」

好きな言葉——黎明、かな。道場の正面に、濃紺に白で大きくこの言葉が書かれた旗が掲げられていた。面をつけるとき頭に巻く手ぬぐいにもこの言葉が書かれていた。れいめい、って響きもなんだかかっこよくて好きだった。だから、黎明館高校にあこがれてたし、推薦入学の話がきたときは嬉しかった。濃紺のかっこいいブレザーを着て、電車通学をしたかった。

——今のあたしには、もう関係ない言葉だ。

「なんでもいいです」

「つまらんのう……」アロハは本当につまらなさそうな顔をした。

学校を離れたら、悪口なんて気にしなくていいかも、って期待してたとこもあったけど、あたしは、初めて会ったお年寄りにも、つまらない、って言われてしまうような人間なんだ。きっと、一生つまらないまま。

「ほれ」アロハが目の前の半紙を指さす。友情、と書いてある。ビミョー。

「ありがとうございます」

頭を下げて受け取ると、アロハはガハハと笑い、新しい半紙に今度は、努力、と書き始めた。

何をがんばるの？

バタンって倒れて、迷惑かけてたくせに。お世辞にもきれいとは言えない字で自信満々に書いてるし、大きな声で笑ってるし。

ここは天国に一番近いお城のはずなのに、むしろ、学校よりも生命力に溢れているような気がして、なんだか怖い。長寿、とか、健康、とか、トイレにもひとりでいけないくせに書いてるおばあさんもいるし。なんで、みんなこんなに前向きなんだろう。なくしたものだらけのはずなのに。

由紀のおばあさんもこんな感じなのかな。こんな人が家にいると、そりゃあたいへんで、ちょっとのことで泣いたり笑ったりしてる場合じゃなくなるかもしれない。それも、何年も何年も……。

もういいんじゃないの？

半日一緒にいるだけでそう思えるんだから、家族は「早く死んでくれ」って思ってるかもしれない。いや、ここにいるお年寄りたちは若い人たちからそう思われてることとくらい、とっくに気づいていそう。むしろ、それが「長生きしてやる」っていうパワーにつながってるような気もする。意地で生きてる、そんな感じ。

お年寄り、いや、こんな人たちに「お」はいらない。年寄り恐るべし。この人も、この人も、この人も……うん？　背中の丸まった年寄りの中に一人、やたらと背筋が伸びて、表情もどこかきりっとしているおばあさんがいる。なんか、かっこいい。何を書いているんだろう。

――見るんじゃなかった。ぐるぐると殴り書きのようなものが書かれているだけ。外国語、のわけがない。

「たいせつかいか、雪に耐え花開く、という意味ですよ。わたしの一番好きな言葉です」

おばあさんはあたしを見て、落ち着いた声で説明してくれた。まるで、ものすごく達筆に書いているような口ぶり。雪に耐え、って季節感もまったく無視。けれど、きっと、この人のなかには、この人なりの世界があるんだろうな。それも、ちょっと知的な。

「学生さんかしら」

「桜宮高校の二年生です」

「まあ、わたしと一緒。藤岡さんもよ。わたしの教え子なの。彼女、お元気かしら」

なるほど先生をしていたのか。言われてみると、いかにもそれっぽい。案外、タイセツなんとかは、このおばあさん先生のお決まりの言葉で、達筆な文字で書いた色紙なんかを、教室の黒板の上にでも掲げていたのかもしれない。

だからって、フジオカさんが元気かと訊かれても困る。小中高、どの学校の先生だったとしても、このおばあさんの教え子が今うちの学校にいるはずがないんだから。

「一九八×年の卒業生だから、二年生にいるはずよ」

ああ、やっぱり、認知症の人なのかな。そんな昔で時間が止まってしまってるなんて。

じゃあ、今日食べたごはんとか、今やってる習字とかは何なのだろう。

こういう人は、どんな死の迎え方をするんだろう。現実世界に未練はないのかな。自分の世界の中で、その中にいる人にだけ別れを告げたら、それで満足なのかな。今関わってる人だってたくさんいるのに、最期の瞬間くらいちゃんと戻ってきて、本当の気持ちを伝えたいとは思わないのかな。

「あら、水森さん、さすがお上手ですね」

介護スタッフの小沢さんという四十代くらいのおばさんが声をかけた。そろそろ部屋に戻る時間みたい。おばあさんは水森さんっていうのか。褒められて当然という顔をしている。

なるほど、こんな感じで適当に褒めておけばいいのか。フジオカさんって人のことも、「元気ですよ」とか言っておけばよかったんだ。学校でだってみんなに合わせてるし。同じじゃん。

＊

小児科病棟から中央エントランスまでは、かなりの距離がある。外科も内科も産婦人科も通過しなければならない。来たときは隣でずっと岡ちゃんが、サタンのいない理想の世界、という話をしていたから、あまり注意して周りを見ていなかったけれど、こうして周りを見ながら歩いていると、右も左も病人だらけ。

わざわざおかしなボランティアグループに入らなくても、死にたくないのに死に向かっている人など病院に来るだけで、簡単に探せそうではないか。余程の場所ではないかぎり、面会時間内は自由に出入りできるはずだ。

点滴ホルダーを押しながら目の前を歩いているおじさん、あの人だってもしかすると、余命僅かだったりするかもしれない。奥さんと子どもがいて、自分の体の痛みよりも、あとに残してしまう二人のことばかり考えている。――ありきたりだな。

長年冴えない独身生活を送っていたけれど、半年前の同窓会で初恋の人と再会。実はお互い好きだったことがわかり、つきあい始めて一週間でプロポーズ。二人で結婚式場を見に行った帰りに突然倒れ、病院に運ばれて余命半年宣言を受ける。

僕のことなんか忘れて、きみは幸せになってくれ――。

「さくらお姉さん」後ろから声をかけられた。

タッチー&昴の、きれいな顔の方だ。

「もう帰るの?」

「うん。……タッチーか、昴くん、だよね」

「どっちだ?」

「……昴くんかな?」

「あたり! すごいな、どうしてわかっちゃったんだろ」

イメージだけで答えたのに、昴くんは嬉しそうに笑った。涼しげな水色のパジャマがよく似合っている。中央エントランスの隣にある売店まで、マンガを買いに行く途中らしい。

「お姉さん、何か用事あるの？　売店のソフトクリームっておいしいよ」

バニラ味のソフトクリームを二つ買い、売店横のベンチに昴くんと並んで座り、ひと口なめる。なんてことはない、普通の味だ。

「いただきます」昴くんが言った。おいしそうに食べ始める。

礼儀正しい子だな。顔もきれいだし、食べ方もきれい。このくらいのソフトクリームをおいしいと感じるのなら、病院食はあまりおいしくないのだろうな。そんな食事がどのくらい続いているのだろう。……何の病気なのだろう。こうして隣で見ていると元気そうだけれど、外に出て太陽の光を浴びると、溶けて消えてしまいそうだ。

ソフトクリームのようなどろっとした感じではなく、透明な氷のつぶが手のひらの上で一瞬で溶けるような感じ。体の奥がぞくっとした。

見たい、その瞬間を。

「さくらお姉さん、岡ちゃんに怒られた？」

「――え？」昴くんが心配そうな顔でわたしを見ている。

「どうして？」

「だって、岡ちゃん、せっかくお姉さんが『さるかに合戦』やってくれてたのに、最後をむりやり変えちゃったから。知ってるんだ、あの話。常識だよね。病気の子たちの前で、死んじゃう話をするなんて、神様はおなげきですよ。とか言われちゃった？」

「すごいね、その通り。ごめんね、イヤな話して」

「なんで？　ぼくも、さるは首を切られて当然だと思うよ。だって、かにを殺してるんだもん。ごめんなさい、だけで許すほうがおかしいよ」

「でも、まあ、そうすると、けっきょく可哀想な子がにも、悪いさると一緒ってことになるからね」

わたしも、首を切られて当然、と思うけれど、年下の男の子の前では、常識的なお姉さんを装う。本音とタテマエの、タテマエの方。もしも事前に岡ちゃんがエプロンシアターのことを話して、ここは病院だから最後の部分を変えて欲しい、と言ってくれていれば、きちんとそうすることができたのだ。

「じゃあ、悪いことをされた方は、我慢しなきゃいけないってこと？」

「そういうことに、なるのかな」

あきらめろ、頭の中で声がした。父の声だ。

「ぼく、岡ちゃんのことはきらいじゃないけど、岡ちゃんの言うことには、ときどき納得できないことがあるんだ。神様は悪いことをした人でも許してくれる、とかさ、さくらお姉さんはどう思う？」

「うーん。多分、岡ちゃんが思ってる神様と、昴くんやわたしが思ってる神様は違うと思うのね。で、わたしの場合、神様は信じていないけど、悪いことをした人は、死んでもただじゃすまない、とは思うの」

「ただじゃすまないって？」

「地獄に堕とされるの」

「地獄？　そういえばお話のときも言ってたよね。それって、天国・地獄・大地獄、の地獄？」

「そうそう。わたしは桜井由紀だから、大地獄だけどね」

「ぼくも、田中昴だから、大地獄だよ。その前に言ってたのは？　なんとかかんとか、地獄におちろ、って」

「因果応報？　悪いことをしたら、まわりまわって自分に返ってきますよ、ってこと」

「そうなんだ。でもさ、地獄って悪いことをした人がいくところ、ってくらいしか知らないんだけど、お姉さんは知ってるの？」

「知ってるというより、うちには昔、どこかの有名なお寺で買ってきた、こわーい地獄の絵本があってね、それにいろいろ書いてた」

「どんなこと？」

「嘘をついたら舌を引き抜かれるとか、食べ物を粗末にしたら目の前にある食べ物が口に入れたとたん石になっちゃうとか、そういうの。地獄といってもいろいろで、血の池地獄とか、針山地獄とか、釜ゆで地獄とかあるの。だからさるはどっちにしろ、地獄に堕とされると思うんだよね。そう思うと、子がには殺さなくてよかったのかもしれない。地獄に堕とされずにすんだんだから」

「へえ、ぼくもその本見てみたいな」

「じゃあ、今度、持ってきてあげるよ。多分、捨ててないはずだから。……っていいのかな、そんなことして」

「岡ちゃんがこない日なら大丈夫だよ。月・火だけだからさ。あさってはこれる？」

「うん、大丈夫。ボランティアじゃなくて、昴くんに会いにくればいいんだよね」

「楽しみだな～」

ワクワクした顔で、昴くんは最後のひと口を食べた。

「ごちそうさまでした」

こんなにいい子が、地獄の本を楽しみにしていると知ったら、岡ちゃんはどんな顔をするだろう。想像するだけで、少しいい気分になった。

＊＊

やっと終わった。朝十時から夕方四時まで、長かった。

体育の授業を見学したのは二十時間だから、休憩時間を差し引いても一週間で充分なはずなのに、どうして二週間もこないといけないんだろう。補習といいながら、上手く利用されてしまったのかもしれない。どうしてあのとき気づかなかったんだろう。夏休みギリギリだったし、部活やってる子には頼みにくいし、先生もあたしなら騙せるって思ったのかな。

ダメだ、もっとしんどくなってきた。一つ一つはたいした仕事じゃないけれど、終わってみるとくたくたで、立っているのが精一杯。

これからまだバス停まで歩かなきゃいけないのか……。

アピールするつもりはなかったのに、仕事が終わったことをおっさんと一緒に、事務室にいた大沼さんに報告しに行くと、「ホームの車でバス停まで送りましょうか」って言ってくれた。

お言葉に甘えよう。

「じゃあ、高雄さんよろしくお願いします」

大沼さんはおっさんに仕事を頼むような口調でそう言った。やっぱり、そうなるのか。

おっさんは軽く舌打ちして、思いきりイヤそうな顔で「わかりました」と小さく返事をした。

どうしてこの人は思ったままを顔や態度に出すんだろう。おとななんだから、少しはセーブしたらいいのに。周りの人を不愉快にさせるだけじゃん。

そんなにイヤなら結構です、って由紀なら絶対に言うはず。あたしにはムリだけど。

体操服のままで帰ってもいいような気はしたけど、初日はとりあえずきちんとしておこう。

事務室を出て更衣室に入ると、介護スタッフの小沢さんがいた。

「お疲れさま」

年寄りに向けるのと同じ笑顔で声をかけてくれた。小沢さんは介護福祉士の資格を持っているパート職員で、高校三年生と大学二年生の息子がいるから大変なのだ、ということを着替えているあいだに教えてくれた。どうでもいい内容だったけど、普通に話しかけてもらえるのが嬉しい。

「バス停まではどうするの？　けっこう距離あるでしょ。わたしが車で来てたらよかったんだけど、今日は原付なのよ」小沢さんの家はこの近くらしい。

「高雄さんが送ってくれるみたいです」

「高雄孝夫？」

耳を疑った。たかおたかお？　ニックネーム？　美保ちゃんという子をミホミホと呼ぶような感じ？　メールのときはミホ×2、おっさんの場合たかお×2？　まさか。それに、高雄は名字じゃなかったっけ。それとも、名札に書くのは下の名前でもいいの？　その前に、おっさんってニックネームで呼ばれるキャラじゃないような気がする。

「たかおたかおって……高雄さん、そう呼ばれているんですか？」

「呼ばれてるっていうか、そういう名前なの。名字は高いと雄で、名前は親孝行の孝と夫。バツイチの独身だから、子どものときからこの名前のはずだけど、親も何考えてこんな名前つけたのかしらね。まあ、ご大層な名前をつけられるよりはマシかもしれないけれど。あなたの周りにもいない？」

「例えば？」

「息子の同級生だと……、摩周湖の摩周くんとか、雷と安いでらいあんくんとか、どこの国の人かって思うでしょ。それでまだ、きれいな顔をして英語がぺらぺらなら納得できるけど、二人とも完全に名前負けしてるのね。あと、命と書いてみことくんって子もいるわね。名字とつなげると、ひと昔前のアイドルの親衛隊みたいでしょ」

小沢さんのあげた名前を聞いて、一つ思い浮かんだネット上のカタカナ名があるけれど、イヤな気分になる前に削除した。

「あたしのまわりは、けっこう普通です」

由紀、紫織……。なんだろう、学校から離れた途端、クラスの子の名前が思い出せない。まあ、それくらい普通の名前の子ばかりってことだ。

「あらそう。じゃあ、息子の学校が特別なのかしら。そういえば、近頃は名前が原因でいじめられないように、あまり突拍子もない名前をつけなくなったって言われてるものね。それに、年をとって摩周じゃ、ちょっとねえ。恥ずかしくて病院にも行けないわよね。あなたは敦子ちゃん？　いい名前だわ」

水森さんを褒めていたのと同じ口調だ。

「……どうも」

お礼は言ってみたけど、お世辞だってわかってるし、自分でも敦子っていう名前は好きじゃない。パパもママもセンスは悪くなさそうなのに、どうしてこんなダサい名前をつけたんだろう、って何度も恨めしく思ったことがある。画数で選んだらこれが一番良かったんだ、ってパパは言ってたけど、まったくもってたいした人生じゃない。

ううん、最悪。せめてア行以外で始まる名前にしてほしかった。

A子なんて、学年で一人だけ……。

「敦子ちゃん。ここだけの話」

小沢さんがいきなり声をひそめて近寄ってきた。

「高雄孝夫には気をつけて。駅まで送るって言われても、バス停でいいって断った方がいいわ。仕事中も何かあったら、遠慮せずに相談して。いざってときには大きな声を出すのよ。あ、でも、この話はここじゃ禁止されているから、わたしから聞いたってことは内緒ね」

それだけ言うと、腕時計を見て、卵の特売が……、って言いながらあわてて出て行った。とっくに着替え終わっていたあたしも、更衣室を出た。

気をつけてって、あのドンくさいおっさんがいったい何をするっていうんだろう。小沢さんが何かされそうになったことでもあるのかな。まさか、ありえない。それに、前に何かあったのなら、大沼さんが頼むはずないし。でも、いくら小沢さんがおしゃべり好きなおばさんでも、何の根拠もなくあんなことを言うはずないし。

少し心配。でも、歩ける自信もない。

エントランス前の駐車場では、ホームの名前が書かれたミニバンの運転席に、すでにおっさんが乗っていた。しまった、更衣室に行くことを言っていなかった。五分もかからないはずだったのに、小沢さんのせいでかなり時間が経ってしまってる。

「すみません」

謝りながら助手席に乗ったのに、おっさんはムッとした顔で黙ったまま、車を発進させた。非常識なヤツ、って思われてるかもしれない。

駅まで送ろうか、どころか、おっさんは一言も口をきいてくれない。でも、あたしも給食のときみたいに話しかけようとは思わない。疲れてるっていうのもあるけど、それ以上に、傷つきたくないから。

たとえ相手がパッとしないおっさんでも、嫌われたり、無視されたりするのはつらい。

歩くと二十分かかるバス停も、車だと五分もかからずに到着した。

「ありがとうございました」

「お疲れ様でした。気をつけて帰ってください」まじめな顔で返してくれた。

ちょっと意外。でも、なんだか少しホッとした。

＊

病院から家に帰ると、一気に疲れが出てきた。このままベッドに倒れ込みたいけれど、着替えを済ませてからだ。どんな菌を持ち帰っているのかわからないのだから。

手も正しい洗い方のお手本のように、丁寧に洗ったし、ついでにうがいもした。冷たい麦茶を飲んで、ようやくひと休み――。

その前に、昴くんに見せてあげる本を捜さないと。確か、押し入れにしまっていたはず。

おばあちゃんが旅行でどこかのお寺に行ったときに買ってきた、地獄絵がたくさん載った本。赤と黒ばかりの水彩画で、文章はほとんどなかった。

釜ゆでは盗みをした人。針山は人を傷付けた人。人殺しをした人はその四倍の苦しみを受ける。因果応報、悪いことをすれば必ずその報いを受けることになるのだ。

そんなふうに、おばあちゃんは説明してくれた。

ひとつひとつの絵がリアルで、本当に怖くて、悪いことなんか絶対にしてはいけないな、と子ども心に誓ったものだ。確か、小学校三年生のときだった。

絵はほかにもたくさんあった。

舌を引き抜かれている絵。これは嘘をついた人。食べ物を食べようとすると石に変わってしまう絵。これは食べ物を粗末にした人。

それらを見ながら、重大なことに気が付いた。嘘をついても、食べ物を粗末にしてもいけないのなら、ほとんどの人が地獄に堕とされるではないか。もちろん、わたしも。
そして、見事に堕とされた。死んでもいないのに……。

炊飯器でご飯を十合も炊き、それを全部タッパーに詰めて、冷蔵庫に入れる。家族の名前も顔も、今が西暦何年何月何日で、自分がどこにいるのかもわからなくなっても、生きるという本能は働き続けるようだ。生きていくためには食べなければならない。だから米を炊く。炊いたことを忘れて、数時間後また米を炊く。冷蔵庫を開けると、ご飯の入った憶えのないタッパーが並んでいる。

誰だ、こんなことをしたのは！　給食は残すな、食べ物を粗末にするな、といつも言っているだろう！　――ものさしを振り回される。

もったいない、もったいない、と見えないところに隠して捨てていたはずの使用済みの紙おむつを探し出してきては、みんなの洗濯物と一緒に洗濯機の中に放り込んでまわす。高分子吸収体の小さなつぶがからまりついた服はゴミ箱行きだ。そしてまた、もったいないことをした、とものさしが飛んでくる。

父も母もわたしも、生傷がなかった日など一日もなかったと思う。

我が家は地獄だった。

地獄から解放されるために、わたしは何度もおばあちゃん殺害計画を企てた。

といっても、包丁で刺し殺したりする勇気はない。

おばあちゃんのスリッパの裏にロウソクをこすりつけたり、湯飲みの内側に漂白剤を塗ったり、布団の中にむかでを入れたり、小学生が考える幼稚な作戦はことごとく失敗した。

ある日、テレビのニュースで、介護に疲れたおじいさんが寝たきりの奥さんの顔に濡れ布巾を置いて殺した、というのを聞き、衝撃を受けた。そんなことで殺せるのか。

小学校五年生の冬だ。

夜中、こっそりとおばあちゃんの部屋に入り、眠っているその顔に、風呂場のお湯でびしょびしょに濡らしたタオルを置いた。すぐに息苦しくなったのか、おばあちゃんは「うぐぐ」と気持ち悪い声をあげて、顔からタオルをむしりとった。

浅はかな子どもは、この方法は自らの意思で体を動かすことができる人には通用しない、ということに気付いていなかったのだ。怖くなって、そっと部屋を出て行こうとしたわたしの背中に、低く威厳のある声が響いた。

「自分が何をしたのか、わかってるのか。因果応報！　地獄に堕ちろ！」

呆けているのか、正常なのか、どちらの状態であったのかは、今でもわからない。怖くて足がすくみ、そこに、シュッと空を切るような音が響いた。熱っ。

そのまま振り返らずに駆けだした。

悲鳴を上げたのは、自分の部屋に戻ってから。電気をつけ、熱いと感じた左手を見ると、甲がぱっくりと割れ、血が溢れ出していた。白いスウェット地のパジャマが赤く染まっていくにつれ、頭の中は真っ白になっていった。

ぼんやりとした意識のなかで、タクシーが呼ばれたり、釣り針のような針で縫われたことは憶えているけれど、痛かった、という記憶はない。

父は医者に、夜中に水を飲もうとして、手を滑らせてグラスを割ってしまった、と言っていた。なんでそんな嘘をつくのかわからなかった。

家についたのは、夜明け前だった。家に残っていた母が、父とわたしにコーヒーとコーヒー牛乳を淹《い》れてくれ、三人で食卓についた。隣の部屋は静かだった。

少し落ちついたところで、父に言った。

「なんで、嘘ついたの？　なんでおばあちゃんにやられたって言ってくれなかったの？」

「言って、どうなるんだ。身内を警察につきだすのか」

「いいよ、つきだしても。好きで一緒に住んでるわけじゃないもん。……なんで、一緒に住まなきゃいけないの？　普通は長男が引き取るんじゃないの？」

「引き取ったんじゃない。ここに住ませてもらっているんだ」

「お父さんが働いてた会社が、前につぶれたから？　でも、またちゃんと働いてるじゃん。ねえ、引っ越そうよ。ぼろいアパートでもどこでもいいから。おばあちゃんさえいなきゃどこでもいいよ」

「もう、手遅れだ。呆けた後に、ひとり置いていくことなんかできないだろう。——あきらめろ」

「え？」

「あきらめろ、と言ったんだ。どうにもならないことに腹を立てても仕方ないだろう。だから、あきらめるんだ。あきらめて……待て」

「何を？　おばあちゃんが死ぬのを？」

「——大学に、行かせてやるから。東京でも大阪でも、どこでもいい。この家から出て行って、やりたいことをやればいい」

今でこそカウントダウンに入ったけれど、小学校五年生にとって大学は、まだあいだに中学・高校とあり、果てしなく遠いことのように思え、その場しのぎのようにしか聞こえなかった。でも……。

「いいわね」ずっと黙っていた母がつぶやいた。

陽気で社交的でオシャレをして出かけるのが大好きだった母は、おばあちゃんの症状が悪化するにつれ、無口になっていった。だから、みんな口にこそ出さないものの、おばあちゃんを憎んでいると思っていた。みんなで協力して我慢しているのだと思っていた。

「あんただけ解放されて、いいわね。家の中をさんざんかき乱しておいて、自分だけ逃げ場があるなんて、まったくいいご身分だわ」

何を言われているのかわからなかった。

「今日だって、何をするつもりだったの？　あんたがもう少しおとなしくしていれば、おばあちゃんがヒステリックになることもないのよ。あんたのせいで、私やお父さんがどんなに迷惑をかけられてるのかわかってるの？　自分だけが悲劇のヒロインみたいな顔して……」

心臓がばくばくと動き、全身をものすごい勢いで血液が駆けめぐり、包帯でぐるぐるまきにされた左手の甲が、じんじんと痛みはじめた。

「痛っ……」

耐えきれなくて、涙が出てきた。

「ほうら、そうやって、すぐ泣いていればいいんだから。――早く、部屋に戻りなさい！」

泣きながら一人で部屋に戻り、ふらふらとベッドに倒れ込みながら思った。

――死にたい。


本は見つからなかった。そういえば、中学生になった頃、おばあちゃんに買ってもらったものを片っ端から捨てていったことがある。ゲンキンなもので、気に入っているものは残しておいたのだけれど、あのときに処分してしまったのかもしれない。明日、図書館で牧瀬と会うついでに、似たような本を探してみようか。いや、でも……。

確か、あの本には、賽《さい》の河原の絵があった。川縁で石を積み重ねる子どもたち。鬼に崩され、また積み重ねの繰り返し。この子たちの罪は親より先に死んだことだ、とおばあちゃんが言っていた。あの絵を昴くんが見たら、どんなふうに思うだろう……。

ベッドに寝ころび、岡ちゃんが言っていたことを思い出してみる。クリスマスをそんなに楽しんだことのないわたしは、アーメンについて知りたいと思ったこともなかった。結婚式に出席したこともないから、教会に行ったこともない。

岡ちゃんたちのなんとか派の都合の良さはなんだろう。もしも、あの日のわたしが岡ちゃんに出会っていたら、すっかりほだされて入信していたかもしれない。

たちまち死ぬ予定もないから、バカじゃないの？　と思いながら聞き流していたけれど、近いうちに死が訪れるなら、どう考えても岡ちゃんたちの考え方のほうが、余生を穏やかに過ごせそうだ。

死は究極の罰ではない。それなら、死とは何だ。

第三章

七月二十八日（火）

＊＊

もうヤダ。こんなとこ、やっぱムリ。天国に一番近いお城なんて、今日でバイバイだ。

出だしは悪くなかったのに。

体操服を着て、厚底スニーカーを履いて、冷たい麦茶が入った水筒を持って家を出たから、バス停から歩くのもけっこう平気だったし、館内の臭いも、五分経つと慣れるってことがわかったから、ぜんぜん気にならなかった。

なのに、午前中でくたくたになってしまった。

朝イチで、おっさんと二人で館内の廊下と階段ぜんぶにモップをかけて、そのあと、窓のサッシや壁の飾り棚のぞうきんがけをした。これでぴかぴかになったはずなのに、廊下も階段もほこりだらけ。しょうがなくもう一度、廊下と階段ぜんぶにモップをかけた。

そうするうちに、あっというまにお昼。全部、おっさんのせい。あたしはおっさんの指示に従っただけなんだから。

体だけじゃなくて、心も疲れた。それも、おっさんのせい。

あのリアクションはどうにかならないかな。

あたしがモップがけした上からモップがけしようとするおっさんに、五百歩くらい遠慮しながら、「高雄さん、そこはもう終わってるんですけど」って言うと、「すまんね」って無愛想に言うだけなのに、年寄りに迷惑をかけたら、例えば、杖に足をひっかけて倒したり、床にバケツの水をこぼしたりすると、「やや、こりゃまた大失敗。お代官様、お許しくだせえまし～」って、大げさに土下座をするマネをする。

それだけなら、年寄りを大切なお客様として扱ってるから、ってどうにか納得できるけど、小沢さんにも、「小沢さんの美しさに免じて、この件はなかったことに～」って両手をすり合わせて頭を下げていたから納得できない。

それも、何を謝ってたかっていうと、マドレーヌのことを、だ。

スタッフルームには「ご自由にどうぞ」って書かれたお菓子がたくさん置かれている。面会にきた人たちが「みなさんでどうぞ」って持ってきてくれるのだ。中には、年寄り用に持ってきたけれど、糖分が高いとか、管理上の理由で本人に渡すことができなくて、職員への差し入れとして置いて帰ってくれることもあるみたい。

倒れたくせにすぐに復活していたアロハを見て、年寄り恐るべし、なんて不死身のように思ってしまったけど、そうじゃなくて、管理がちゃんと行き届いてるんだ。それのお礼に持ってきてくれるお菓子は、普段めったに食べれないお上品なものばかり。

「あら、このセットなら、抹茶味が入ってたんじゃないの？」

昼食を取るためにスタッフルームに入ってきた小沢さんが、半分カラになったマドレーヌの詰め合わせの箱を見ながらそう言ったとき、何人かいた職員のなかで、たまたま抹茶味を食べていたのがおっさんだった。

抹茶味が最初から一つしか入ってなかったわけじゃないし、小沢さんが好きな味だってわかっててわざと最後の一つを取ったわけでもない。たまたま、箱の一番端にあったのを取っただけなのに。

小沢さんより、あたしのほうがよっぽど迷惑を被ってるのに。

やっぱり、おっさんは職員として態度を使い分けてるんじゃなくて、あたしのことが嫌いなんだ。

もしかして、あたしはみんなに嫌われてるのかもしれない。おっさんはドンくさいから、気持ちがそのまま顔や態度に出てしまうだけで、大沼さんも、小沢さんも、他の職員の人たちもカゲであたしの悪口を言ってるかもしれない。

それどころか、年寄りたちにも言われてるかもしれない。

あんな子まったく役にたたない。それどころか邪魔になるだけ。何もできないくせによくこんなところにきたもんだ。身のほど知らず。そんなふうに。……こんなところ、いたくない。

――って、裏口から出てきたけど、バス停に行くには、エントランスの前を通らなきゃいけない。見つかったらどうしよう。……ヤバい、誰かいる。

おばあさんだ。ここの入居者っぽいけど、一人で出てきて大丈夫なのかな。

関係ない。ムシして追い越しちゃえ。

「――ちょっと、あんた」

「はい？」呼び止められてしまった。

「あんた今、わたしに死ねって言っただろ」

ええ？　何言ってんの？　おばあさんはものすごく疑うような目であたしを見てる。この人も認知症なのかな。

「い、言って、ませんよ。そんなこと」

「いいや、死ねって聞こえた」

「まさか……。だって、あの、そんなこと、言うはずないじゃないですか……」

「みんな言うとる。部屋のもんも、若い人らも。耳が聞こえん思うて言うとるかもしれんけど、わたしには全部聞こえとる」

悲しそうに目をそらしながらそう言った。だから、誰もいないところに出てきているのかな。

なんだか、かわいそう。老人ホームでも「死ね」とか言われたりするんだ。ひどい。

「坂口さん、誰も、そんなこと言っていませんし、思ってもいませんよ」

大きく、ゆっくりとした、丁寧な口調。大沼さんだ。

「ほら、死ねって言った」

おばあさんが同意を求めるように、あたしを見る。――ううん、言ってない。

「みなさん、誰もそんなこと、思っていませんよ。さあ、戻りましょう」

大沼さんはおばあさんの肩に手を乗せて、ひざを曲げて視線を合わせて、ゆっくりと言った。

おばあさんは「騙されんぞ」とか、もごもごと言ってるけど、手を振り払ったり、抵抗しようとはしていない。

「ありがとう、草野さん。休憩時間だったのにごめんなさいね。坂口さんはわたしが部屋までお連れするので、もう大丈夫ですよ」

そう言って、大沼さんはおばあさんをなだめながら、エントランスのほうに戻っていった。

ありがとうって、あたしは、勝手に出て行ったおばあさんを追いかけるか、見つけるかして、外に出てきたってかんちがいされちゃったのかな。……坂口さん、か。

あたしにかまってほしくて、死ねって言った、なんて嘘をついたのかな。それとも、ホントにみんなからそう言われてる、って思い込んでるのかな。もしかすると、ホントに誰かに言われたことがあるから、そうなっちゃったのかもしれない。だとしたら、かわいそう。

耳が遠いみたいだし、誰かが話してると、死ねって言われてるように思っちゃうんなら、ここでの集団生活はキツイだろうな。

——あ、こんな時間。そろそろ、戻らなきゃ。おっさん一人じゃ、華道部の準備は大変そうだ。

＊

図書館で受験勉強をしている牧瀬の隣で本を読むのは、今日で五度目。

牧瀬はこれを「図書館デート」と呼んでいるけれど、デートのわりには、まったくときめかない。このあたりで一番偏差値の高い男子校の制服を着ているから、邪魔しない程度に勉強を教えてもらおうと期待していたのに、どうやら、それも無理そうだ。高三の夏だというのに「数Ⅰ基礎」などやっているのだから。

日常会話にいたっては最悪だ。「梅干しの木って水と一緒に塩もまくのかな」このあいだはそう言っていた。本当に、調子のいいバカとしかいいようがない。

ピピピ……。牧瀬のケータイが鳴った。夏休み中も、勉強時間を学校の授業と同じように設定しているのだ。

休憩時間は二人でテラスに出ることになっている。自動販売機で牧瀬がコーラを二つ買い、どうぞ、と渡してくれた。

わたしは人に奢《おご》られるのが苦手。他人と貸し借りを作るのが嫌なのだ。でも、牧瀬にとっては、男が奢るのが常識らしく、そう言われると断るのも申し訳ないので、ありがたく受け取ることにしている。

二人でベンチに座り、コーラを一口飲んだところで、訊いてみる。

「ねえ、牧瀬は、死体を見つけたことある?」

「——ある」

即答、そして、まさかの「ある」だった。絶対にないことを前提で訊いたのに。

「死体を見つけたっていうか、——目の前で死んだ」

「それは、誰か身内の人の臨終に立ち会った、とか、そういうの?」

両親や兄弟、祖父母の場合を想定して、遠慮がちに訊いてみたけれど、牧瀬の表情は曇らなかった。それどころか、わたしの方に向き直った顔は、妙に活き活きとしている。

「もっとスゴイこと。ホント、偶然っていうか、この春休みなんだけど、俺、その日、朝から模試があって、学校に行ってたのね。通勤ラッシュが終わったガラガラの駅のホームに立ってたら、向かいのホームに立ってたおっさんが、いきなり、提げてた紙袋の中から、紙吹雪みたいなのばらまき始めてさ、おかしなことしてるな、って思いながら見てたら、電車が入ってくる直前に線路に飛び降りて……、手が飛んできた」

まさかの展開と、頭の中に浮かんだえぐい映像に、思わず息を飲んでしまった。

牧瀬は缶を足元に置いて、続けた。

「目の前に落ちた手の、ちょうど手のひらの上に、紙吹雪がひらひら〜って落ちてきて、なんか、映画のワンシーンみたいだったな」

おもわず想像してしまう。もし、その紙が最愛の女性からのラブレターだったとしたら、どんなに劇的だろう。

「大丈夫、だった？」

続きが聞きたかった。牧瀬の視線は少し遠いところにあり、わたしのことなど見ていない。

「なんだろ、そんときは気持ち悪くて、すっげえショックだったけど、目撃者ってことで、警察や駅員に、見たことまんま繰り返して説明してるうちに、人が死ぬ瞬間を冷静に受け止めれるようになって……、あれで人生変わった、とも言えるかな？」

「どんなふうに？」

「うーん、一言でいうなら、『死』って『退場』ってことなんだ、って悟ったこと、かな？よくさ、勘違いしたヤツが、ゲームオーバーとかリセットとか、そういう言葉使うけど、そうじゃないんだ。それって、自分が世界の中心って勘違いしているバカの発想なんだよな。まあ、あの日までの俺もそうだったけど。『死』ってのは、この世から、退場するってこと。ひとり欠けたからって、世界は何も変わらない。いやなヤツがひとり退場したからって何も変わらない。ましてや自分が退場しても何も変わらない。世界は終了なんてしない。果てしなく続くんだ。たとえ生まれ変わったとしても、途中参加でしかない。それなら、できるだけ、今の世界に長く参加して、自分を含めて世界がどんなふうに変わっていくのか、見届けたくない？」

「――え？」

紫織もそうだったけれど、人は死を語るとき、なんて恍惚とした表情になるのだろう。ひとつ年上の単なるバカだと思っていた牧瀬が、はるかに人生経験を重ねた大人に見える。

そのうえ、「世界」という言葉を使った。死は世界から退場することだ、と。それは、いつもわたしが思っていることを、ひと言で表してくれた言葉だった。

感心しているのを悟られないよう、少し離れた拍子に、足元に置いてあった牧瀬のコーラの缶を蹴倒してしまった。

「ごめん」缶に近い方の手を伸ばし、つかんだものの、起こすことができない。

「あのさ、……けっこう重いこと、抱えてない？」

牧瀬は缶を起こしながら、わたしの顔をのぞき込んだ。

「あんまり笑ったとこ、見たことないし、こんなふうに話してても、自分のこと言わないよね。でもさ、案外、言うとラクになるかもしんないよ」

わたしは自分の左手の甲を見た。楽になるとは思えないけれど……。

例えば、牧瀬には死んで欲しい人間などはいないのだろうか。

「あの……」口を開きかけたところで、牧瀬が言った。

「何？　誰が、死んだの？」

いいえ、誰も死んではいませんが。

それが前提でなければならないのだろうか。もしかすると、今、わたしが心の底から憎む人の話をこいつに聞かせても、おまえは「死」に触れたことがないから、軽々しく「死んで欲しい」と思えるのだ、なんて思われるだけなんじゃないだろうか。

長年、他人に言えない理不尽なことに耐えてきたわたしよりも、偶然、自殺の瞬間を目撃した牧瀬の方が、この世界を理解しているとでもいうのだろうか。「死」に触れたことがない人間に、この世界を語る資格はないとでもいうのだろうか。

だんだん牧瀬が憎らしくなってきた。

そもそも、あんたが見たのは、まったく自分に関係ない、見ず知らずのおっさんの死ではないか。そりゃ、自分に関係のないおっさんが死んでも、世界は変わらないと思うだろうよ。

まだ少し残っているコーラの缶を、右手で持ち、立ち上がった。

「え？　あ、ごめん。俺、やなこと訊いた？」

缶をゴミ箱に放り込む。

「……そろそろ、休憩終わりでしょ。来週は模試もあるんだし、がんばってね」

背を向けテラスを出て行きながら、ものすごい敗北感がこみ上げてくるのを感じた。

結局、自慢話を聞かされただけじゃないか。

牧瀬の場合も自殺。こうなると、絶対に「死」の瞬間を見たい。牧瀬でもあれだけのことを言えたのだ。わたしなら、もっとすごいことが言えるはず。「死」に触れ、「死」を越えた世界を知りたい。退場よりももっと、これだ、と思える表現が見つかるはずだ。

それを自慢し、紫織や牧瀬を思いきりうらやましがらせて、いや、悔しがらせてやりたい。

地獄の本はここでも探してみたけれど、いいのがなかった。けれど……。

とにかく、明日、昴くんに会いに行こう。

七月二十九日（水）

**

〈シルバーシャトー〉に到着すると、十時からスタッフルームで臨時のミーティングが開かれるところだった。手の空いている職員は全員参加ってことで、あたしもおっさんと一緒に後ろのほうの席に座って参加した。

ミーティングを取り仕切るのは大沼さん。いくつかの連絡事項を伝えたあと、なんだかいきなり、しんみりとした顔になった。

「ご存じの方も多いと思いますが、先月からK病院に入院されていた松田たき子さんが、昨晩亡くなられました。ご家族の方によると、最後まで毅然とした姿で、死を受け入れられたそうです。短歌を愛《め》でられた松田さんの最後の歌を、みなさんにもお伝えしたいと思います。

朝に咲き　夕には萎《しぼ》む　かの花に　我が人生の　はかなさを知る

享年九七歳でした。――では、今日も一日よろしくお願いします」

これが辞世の句か。初めて聞いた。なかなかかっこいい。

この句が上手いのか下手なのかはわからない。言いたいことはあたしにでも理解できるから、下手な部類かもしれない。でも、すごい。

九七歳の大往生の人生を、朝顔にたとえてはかないと言えるハートは、会ったことはないけれど、尊敬ものだ。小沢さんたちパート組は苦笑してる。けっこう面倒くさいおばあさんだったのかもしれない。

さすが天国に一番近いお城。たった三日目で死人が出た、けど、思いつかなかったことがある。特別養護老人ホームは病院じゃない。常駐の看護師さんやお医者さんはいるけど、死に関わるような重体に陥れば、病院に運ばれてしまうのだ。そして、死体はここに戻ってこない。死ぬところも、死体も見れない。それじゃあ、死を悟れない。もっと、いろんな辞世の句も聞いてみたいのに。

そんなサイトとかないのかな？　あと、辞世の句コンテスト、とか。

例えば、あたしなら……。

死ぬ前に、一回読んで、みたかった、ヨルの綱渡り、どこにある、のだ？

こんなの黙って死んだほうがマシ。

＊

五階建ての小児科病棟の四階、エレベーターを降りてナースセンターのカウンターに置いてあるノートに名前を記入し、一番奥の昴くんの病室に向かう。二人部屋だ。ドアの横のプレートには、田中昴、藤井太一、とある。なるほど太一だからか、名は体を表すな。

中に入ると、手前のベッドにデブのタッチーが座っていた。あいかわらず、パジャマはちんちくりん。よ、さくら、となれなれしく声をかけてくる。

うるさい、今日も肉まんみたいな顔しやがって。

タッチーではなく、肉まんと呼んでやることにしよう。

「さくらお姉さん、ここに座って」

奥のベッドに座っていた昴くんが、ベッドの横に立てかけてあったパイプ椅子を広げてくれる。座ると、待ってました、とばかりにきれいな顔を輝かせ、「地獄の本は？」と訊いてきた。

「ごめんね、見あたらなくて」

えー、とがっかりされる。そんなに楽しみだったのだろうか。なぜか、隣の肉まんまでがっかりしている。

「おわびに、お菓子を持ってきたんだ。行列ができる有名なお店のなんだって」

バッグから薄緑の和紙で包装された箱を取り出し、昴くんに渡した。

昨日、図書館に行っているときに、おばあちゃんの教え子の、藤岡さんという人がうちにやって来たらしい。そのお土産だ。

他県で小学校の先生をしていて、「おばあちゃんのような教師を目指している」と、研修で隣の市にある小学校まで来たついでに、わざわざ立ち寄ってくれたらしいけれど。

あの、フジオカさんだろうか。

おばあちゃんの居場所を教えると、「そちらに寄ってみます」と、二箱持ってきていた賞味期限が今日までのお土産を一つ渡して、帰ったらしい。

「なんだ？　これ。ゼリー？」

昴くんのベッドに移動し、包装紙をバリバリと破いて箱を開けた肉まんが言った。

なんだこの、ずうずうしいガキは！　でも、肉まんと並んだ昴くんは、さらに華奢で儚《はかな》げに見える。肉まんは昴くんを引き立てる脇役として、親切にしてやるか。

「おもちだって。不思議な触感らしいから、食べてみたら？」

「へえ、いただき！」

笹の葉でくるまれた半透明の薄緑色のかたまりに、肉まんが手を伸ばす。

「ダメだよ、タッチー。ちゃんと看護師さんに訊かなきゃ。満腹地獄だぞ」と昴くん。

「へへ、そうだな。でも、この場合は欲張り地獄じゃないか？」

肉まんがもちを箱に戻す。

「何それ、満腹地獄とか、欲張り地獄って」

「さくらお姉さんに地獄の話を聞いてから、タッチーといろいろ考えたんだ。見て」

昴くんが枕の下から、ノートを破った紙切れを取り出して見せてくれる。

おやつをないしょで食べる。——満腹地獄。おなかいっぱいになっても、むりやり口に入れられて、一生食べ続けなければいけない。

ゲームやおやつをひとりじめする。——欲張り地獄。一生ゲームができないし、おやつも食べれない。

ともだちの悪口を言う。——無視地獄。一生だれとも口をきいてもらえない。

子どもらしい地獄が紙いっぱいに書かれている。女子にエッチなことをする、という項目など、いかにも小学生の男子らしい。

「どう？　ぼくたちの考えた地獄」

はにかんだ笑顔で、昴くんが訊いてくる。

「すごい、すごい。本とかなくても、ぜんぜんいけるじゃん」

「お姉さんの本もこんなかんじだった？」

「うん。こんな感じ。むしろ、こっちの方がすごいかも」

本を持ってこなかったフォローも兼ねて、かなり大袈裟に褒めてみた。

やった！　昴くんと肉まんが右手どうしを合わせ、ハイタッチをする。

「ねえ、地獄の本って誰が買ってくれたの？　パパ？」

笑顔のまま、昴くんが訊いてきた。

「ああ、地獄の本はお父さんが買ってきたんじゃなくて、おばあちゃん」

「へえ、おばあちゃんがいるんだ。うらやましいな」

これには、苦笑いだ。

「さくら、笑い方がなんかヘン」肉まんが口をはさむ。

「美人は顔の筋肉をあまり動かさないの」

「いうほどの顔じゃねーぞ。ってか、おまえ、友だちいんの？　夏休みなのに、一人でこんなとこきちゃってさ」

「いるよ、友だちくらい」

「どんな？」

「――日本一」

「はあ？　なんだそりゃ。桃太郎か、富士山じゃねーか」

「違う、剣道で日本一になったの」

「日本一だから、好きなの？」昴くんが言った。

――それは違う。

「なあ、それより、さくらも一緒に、地獄を考えようぜ」

肉まんと昴くんは、二人で頭をくっつけ合い、おもしろい地獄を考え始めた。

包帯のとれたわたしの手には、大きな傷跡が残り、握力がなくなった。左手だし、力は入らないものの、とりあえず指を曲げることはできるから、日常生活にたいした支障はなかったけれど、剣道はできなくなってしまった。

竹刀を握るのは左手だから。右手は添えるだけ。

でも、手のことなどどうでもよかった。それよりも、死にたくてたまらなかった。

怪我からひと月後、辞めることを告げるため、母と道場に行った。稽古が始まる少し前で、敦子も道着に着替え、すぶりをしていた。母が先生に挨拶をしている横で、わたしはぼんやりと道場の正面に掲げられた、紺色に白で「黎明」と書かれた旗を眺めていた。

敦子ほど強くはなれなかったけれど、剣道は好きだった。勝っても負けても自分だけの責任、そういうところが好きだった。

「……まったく、おっちょこちょいで、夜中にグラスを割って、こんなことになってしまうだなんて」

訊かれてもいない怪我の原因を、母が慣れた口調で説明していた。学校で、近所の人の前で、嘘が繰り返されるたびに、自分が消えていくような気がした。――その時。

右手をつかまれ、引っ張られた。敦子だった。

「行こう、由紀！」

敦子はそう言って、わたしの手を引き、道場を飛び出した。

敦子に手を引かれ、どこへ行くのかわからないまま、日の落ちかけた町中を、ただひたすら走り続けた。


——ケータイが鳴った。メール、母からだ。

おばあちゃんが病院に運ばれました。危険な状態だから、K病院にすぐ来なさい。

危険？　何があったのかわからないけれど、すごい。危険な状態なんて、今までにないフレーズだ。まさか、こんな日が来るなんて！　こんなガキん子たちと遊んでいる場合じゃない。

「ごめんね、帰らなきゃいけなくなったから、また来るね」

ベッドの端にケータイを置き、パイプ椅子をたたみ、横の壁に立てかける。振り向くと、肉まんが勝手にケータイをいじっていた。

「ちょっと、何してんの！」

ケータイを取り上げ、さっさと病室から出て行った。

＊＊

〈シルバーシャトー〉には、二階の南側の廊下の突き当たりから出たところに、人工芝が敷かれた広いバルコニーがある。転落事故防止のために周りは花壇になって、今の季節は紫と白のサフィニアが植えられている。

花の名前はおっさんに訊いた。あいかわらず単語で答えられただけだったけど、「すごいですねえ」って感心してたら、「仕事の関係で覚える必要があったから……」って少し照れた様子で、訊きもしないことを教えてくれた。

そのとき、閃いた。

もしかすると、おっさんは、あたしのことが嫌いなんじゃなくて、ものすごく人見知りをするタイプなのかもしれない。うち解けるまでに時間がかかってるだけなんだ。

そう思うと、俄然、作業に励む気力が沸いてきた、んだけど。

バルコニーには年寄りが室内用のスリッパのまま出てきて、日なたぼっこや休憩ができるように、ベンチやテーブルがいくつか置かれていて、今日もそこで差し入れのおやつを食べたり、将棋や囲碁をしている人たちがいる。

午前中とはいえ、真夏の炎天下。つるつるの禿げ頭に帽子もかぶってない。おやつも冷たいビールやかき氷じゃない。テーブルの上には和菓子のような箱が置かれてる。冷たいお茶くらいあってもよさそうなのに、誰もそんなものは用意していない。介護スタッフの人たちは何をしているんだろう。

よく見ると、「タイセツなんとか」の水森さんもベンチに座っていた。

二十四時間冷暖房完備の館内のほうが何十倍も快適なはずなのに、どうしてこんなところに出てくるんだろう。どうしてあたしはこんなところで人工芝の掃除機がけをしなきゃいけないんだろう。業務用掃除機とはいえ、いっこうにきれいになっている気がしない。

おっさんは花壇の草取りをしている。だから、どうして抜いた草を、掃除機かけたばかりの人工芝の上に直接置くの？　自分だけ麦わら帽子をかぶって、どうしてあたしはタオルなの？　それも、〈シルバーシャトー〉のロゴ入り。ダサすぎる。

花の名前を訊いたあと、おっさんに「剣道をしているの？」と訊かれた。少し友好的になったと思ったら、いきなり一番触れてほしくないところに踏み込んでくるなんて、どうなってるんだ、このおっさんは。

「どうしてですか？」

「家に剣道場を作りたいって言ってた人が、同じ巻き方をしていたから」

頭に巻いていたタオル。何も考えずに暑さしのぎで巻いてたのに、面の下に巻くやり方になっていた。

「あんな汗くさいこと、もうしてません」

その場で泥棒みたいな巻き方に変えたけど、気がつけば、今も掃除機のホースを竹刀と同じ握り方で持っている。

そうだ、おっさんの背後から面打ちの寸止めをして、びっくりさせてやろう。よっぽどへんな動きをされない限り、三ミリのところで止めれる自信はある。

どんな顔するだろう……。

掃除機をかけながらゆっくりとおっさんの背後に近寄り、ホースの先を抜いてふりあげた。

「えらいこった！」

すぐ後ろで、おじいさんが叫んだ。おっさんが振り向く。ホースをふりあげたまま愛想笑いをしてみたけれど、おっさんはあたしを見ていない。

「大丈夫ですか!?」

険しい顔をして、あたしを追い越していく。え？　なに？　どうしたの？

水森さんが苦しそうにもだえていた。その横で二人のおじいさんがおろおろと立ったり座ったりしている。

「もちじゃ、もちをのどにつまらせとる」

おじいさんはそう言って、水森さんの足下に落ちている笹の葉を拾った。

おっさんが水森さんを人工芝の上に寝かせて、気道を確保するように口をこじあけている。でも、ギュルとか、オゴとか、気持ちが悪い音がするだけで、水森さんの顔はどんどん紫がかっていく。目をひんむいて、手足をばたばたさせて。自分の頬やおっさんの腕をかきむしって……。

苦しそう。ホント、苦しそう。

止めて、止めて、なんでこうなるの?

もしかして、あたしが、水森さんの死ぬところを見たい、って思ったから? 違う、こんなんじゃない。こんなのを見たいって思ったんじゃない。こんな死に方、絶対にダメ。ミジメすぎる……そうだ、辞世の句。じゃなくても、せめて、最期に一言何か言って!

もち、もちをとらなきゃ。

ふりあげたままだった掃除機の柄《え》を一本抜いて、そのまま水森さんの口にホースをつっこんだ。ごぎゅぎゅってヘンな音がする。胃袋とか吸い込んでたらどうしよう。

大沼さんと看護師さんが駆けつけてきた。

応急処置が始まって、しばらくすると救急車も到着して、水森さんは運ばれていった。

緊張感あふれるすばやい動き、さすがプロだなあ。なんてぼんやりと見ていたせいか、周りが静かになってからようやく、掃除機のスイッチが入ったままだって気づいて、止めた。

半分くらい終わっていたのに、また最初からやり直しだ。

おっさんはいない。あいているベンチにへたりこむと、ぱちぱちと手を叩く音がした。

外に出ていたおじいさんたちや、騒ぎを聞きつけてやってきた介護スタッフの人たちが、あたしを見ながら拍手をしてくれている。なんだろう、この拍手は。

「草野さん、お手柄だったわね」と小沢さん。

お手柄？　掃除機を口につっこんだことが？　褒められる理由がさっぱりわからなかった。

＊

三ヶ月前、ようやく待ち望んでいた日がやってきた。おばあちゃんが老人ホームに入れることになったのだ。毎日二時間おきに痰の吸引をしなければならなくなったおかげだ。

家から出て行くということは死んだも同然、これであの地獄のような日々から解放される、と喜んだのもつかの間、おばあちゃんはたびたび問題を起こし、母を困らせた。

最近では、三週間前。おばあちゃんに赤ちゃん言葉を使ったパートの女性職員を、一時間近く説教し、隠し持っていた竹ざしでおしりを叩いたらしい。その職員は翌日辞めた。

それでも、わたしには関係ない、と思っていたけれど、近頃母が、よそ様に迷惑をかけてうちの恥をさらすくらいなら、連れ戻そうか、などと言い始めたのだ。

そんな時に、危険な状態。嬉しくないはずがない。

S大付属病院からK病院までは、まず電車で六駅、自宅の最寄り駅を通過して二駅目で下車し、そこからバスに乗り換えなければならない。

メールが届いて、約一時間半。まだ、生きているだろうか。

正面玄関から入り、受付で場所を訊いていると、父が入ってきた。会社の作業服のままだ。受付の女性から、救急外科に運ばれた、と教えられ、二人で向かった。心不全あたりを想像していたのだけれど、ベッドから落ちて、頭でも打ったのだろうか。

「もちをのどにつまらせたみたいだ」歩きながら父が言った。

メールではなく、母から直接、職場に電話がかかってきたらしい。

「へえ、老人ホームでもそういうことあるんだ。で、どうなったの？」

「さあ、そこまでは聞いてないけど、もともと痰の吸引が必要なんだし、のどにつまると、もうダメなんじゃないか？」

あきらめろマンの父は、自らが手本を示すように、いつもあきらめたような顔をしている。今だって、おもしろがって言っているのか、まじめに言っているのかはわからない。ましてや、それをのぞんでいるのかどうかもわからない。

「正月じゃあるまいし、どこに……売ってたんだ？　ばあちゃんの食べたもちは」

「……もち！」

ついさっき病院で見た、笹の葉に包まれたお菓子を思い出した。もちと言われて、そのままお正月に食べる白いもちを想像してしまったけれど、きっと、あれだ。

藤岡さんが持って来たもち。やはり、あの、藤岡さんだったのかもしれない。もしかするとこうなることを少し期待して持って来たのだろうか。

小学校時代、竹ざしを振り回されながら怒られた腹いせに、おばあちゃんが呆けたことをどこかで聞きつけ、ここぞとばかりに仕返しにやってきた、とか。

因果応報！　地獄に墜ちろ！

ほうら、自分に返ってきた。

父に藤岡さんがもちを持って来てくれた話をしながら、教えてもらった病室の前まで行くと、ちょうど、母と老人ホームの職員っぽい人たちが二人、出てきたところだった。

きりっとした女の人と、どことなく頼りなさそうなおじさんが、並んで母の前に立ち、そこに、父とわたしが合流するかたちになった。

おじさんが何かしでかして、女の人が助けてくれたのだろうか。

「食べ物の管理には注意していたのですが、昨日お見舞いに来られたかたにお土産をいただいていたようで……。それがのどにつまり、このようなことになってしまいました」

女の人の方が神妙な顔をしてそう言った。やはり、藤岡さんのせいだったのだ。

「幸い、こちらの高雄が発見し、早急に対処したため、最悪の事態には至らなかったのですが、今後このようなことが起こりませんよう、より注意していきたいと思います。本当に、ご心配をおかけして、申し訳ございませんでした」

最悪の事態には、至らなかった？　母を見ると、目をそらされた。

女の人は床につきそうなほど頭を下げている。それを見ながら、おじさんも頭をかきながら頭を下げた。少し照れ笑いを浮かべているのは、申し訳ないという気持ちよりも、自分が助けてやったという気持ちのほうが勝っているからだろう。

余計なことしやがって。

「こちらこそ、ありがとうございました」母が言い、父も一緒に頭を下げた。

大人四人の後頭部を見ながら、必死で我慢していた。

死ね、死ね、死ね、死ね、みんな死んじまえ！　そう叫び出したいのを。

父は会社に戻り、母はおばあちゃんに付き添うため、一人で家に帰った。コンビニで冷やし中華を買ってきたけれど、夕飯にはまだ少し早い。ケータイを開くと、メールが二件届いていた。

一件目は牧瀬から。

昨日はなんか、ヤなこと言ってゴメン。花火大会いっしょに行かない？

そういえば、今週末は市が主催する夏祭りだ。最終日は一万発の花火が上がる。一年で一番盛り上がるイベントだけれど――、行かない、と返信する気力もなかった。

二件目はタッチー＆昴、あの二人からだ。

お許しでたから、もち食ったぞー。めっちゃ、うまかった。ごちそうさん。タッチーより。

さくらお姉さん、おもちごちそうさまでした。空っぽの箱をみつけて、タッチーのおばさんが残念がっていたのがおもしろかったです。また来てね。昴より。

返信不要！　タッチー&昴より。

肉まんがわたしのケータイをこそこそと触っていたのは、アドレスを調べるためだったのか。発信は、面会に来た家族の人のケータイからだろうか。返信不要、ということは、内緒で勝手に使ったのかもしれない。

わざわざ、お菓子のお礼を送ってくれるなんて。地獄の本も持って行かなかったし、バイバイも言わずに帰ってきたのに、いい子たちだな。

あの子たちはもう、友だちと言えるだろうか。

＊＊

あっというまの一日。それなのに、朝、ミーティングで辞世の句を聞いたりしたことが、数日前のことみたい。

人助けをしたって実感はないけど、掃除機がもちを吸い取ったおかげで、水森さんは一命をとりとめ、大事にはいたらなかったらしい。

お昼過ぎ、おっさんは水森さんが運ばれたK病院から帰ってくるなり、「助かったよ」と頭を下げてくれた。姿が見えないって思ってたら、救急車に一緒に乗って行ってたらしい。おっさんのせいじゃない。担当の介護スタッフが、痰の吸引が必要らしい水森さんの差し入れを、ゼリーと間違えてちゃんとチェックをせずに、一人でバルコニーに出してしまったから、こんなことになったんだから。

介護スタッフにしても、少ない人数で百人の年寄りを預かって、マンツーマンでお世話をしているわけじゃないから、何かあったとしても個人のせいにはならないだろうし、ましてや、雑用係のおっさんはたまたまバルコニーにいただけなんだから、あたしに頭を下げる必要なんてないはず。

なのに、休憩時間にコーヒーをいれてくれたし、バス停まで送ってくれて、車を降りるとき、「今日は本当にありがとう。きみには迷惑をかけてばかりで本当にすまない。これに懲りず、明日からもよろしく。じゃあ、気をつけて」って優しい言葉までかけてくれた。そのときは、あまりの態度の変化にびっくりしただけだったけど、少しずつ効いてくるシップ薬みたいに、うちに帰ったあとから、じわじわっと嬉しくなってきた。

夕飯を食べながら、パパとママに今日あったことを話すと——さすがに水森さんのもだえている様子は言わなかったけど、二人ともものすごく喜んでくれた。パパが「敦子は介護福祉士に向いているんじゃないのか？」と言うと、ママは「福祉関係の大学に行って、何か資格をとってみればいいんじゃないかしら」と言って、S福祉大は難しいかしら、とか、役場のなんとかさんの息子さんが行っているから訊いてみよう、とか、二人で盛り上がり始めた。

あたしが水森さんを助けてあげられたのはまったくの偶然なのに、二人とも単純。

でも、進路のことや将来のことなんて、今まで考えたこともなかった。よく考えたら、高校生ももう半分終わろうとしているのに。桜宮高校の進学率はあまり高くないうえ、進学といっても大半が短大か専門学校。

お兄ちゃんが大学を出てそのまま大阪で就職したから、なんとなく、あたしはパパが探してくれた職場に家から通うような気でいたし、パパもママもそれを望んでいるだろう、って思ってたのに、大学のことであんなにはしゃぎ出すなんて。本当は進学してほしかったのかな。気をつかって言わないだけで、勉強ももっとがんばってほしいんだろうな……。

由紀はどうするつもりなんだろう。進学するのかな？　由紀ならそこそこの大学に受かりそうだけど、もしかすると、東京の難しい大学を狙ってたりするのかな？　図書館に行ってるのも、単純に本が好きなだけ、って思ってたけど、勉強してるのかもしれない。

でも、何になりたいんだろう。こんなにずっと一緒にいるのに、あたしと由紀は将来の話なんかしたことがない。案外、紫織とはそういう話をしてたりして。そういえば、少し前に、紫織が由紀に本を渡してたことがある。難しそうな本だったから、あたしも見せてとは言わなかったけど、いつ二人で本の話なんかしたんだろう。もしかして。

紫織には「ヨルの綱渡り」を読ませてあげてるかもしれない。

あたしをモデルに書いたことを紫織に教えて、二人であたしのことをバカにしているかもしれない。

余計なことをしなければ、今日、死体を見れたはずだった。そうすれば、あたしも紫織のように、死を悟った人になれてたかもしれないのに。

でも、あのまま水森さんが死んでいたら、どうだっていうんだろう。紫織のように死を語りたいとも思わないいし、誰かにこの話をしたいとも思わない。

そもそも、今日の出来事に自分が何か影響を受けたとも思えない。

紫色に鬱血した、水森さんの顔を思い出す。ものすごく苦しそうだったし、涙も鼻水もでてた。しわしわの手で頬をかきむしって、血まで流してた。食事中や夜トイレに起きたときに、絶対に思い出したくない顔。……縁起悪い。そう、一言であらわすならそれだ。

これまでの人生をまったく知らない他人とはいえ、あんな死に方はしてほしくない。長生きしたんなら、何かそれなりに人生を振り返って、意味のある言葉を残して、周りの人にも一言ねぎらいの言葉をかけて、ベッドの上で安らかな顔で眠るように死んでほしい。

老人ホームに期待したのがいけなかったのかな。なんだか、もう、あんなところどうでもよくなってきた。とりあえず、体育の単位をもらうために、あとまだ十日、まじめに働くことにしよう。

由紀は何をしてるんだろう。終業式の日に、夏休みは家の用事で忙しい、って言われたきり、メールも来ない。メールだって、送るのはいつもあたしのほうから。かわいく凝ったメールを送っても、絵文字のない文章だけで返ってくるし、ひどいときは単語だけで返ってくることがある。行く、了解、何時、パス……。おっさんレベル、いや、おっさんのほうがまだマシ。

由紀からメールが来るまで、あたしからは絶対に連絡しない。

七月三十一日（金）

＊

面会時間開始の十時ちょうどに病室を訪れると、肉まんしかいなかった。

「あいつ、もうすぐ手術だから、検査を受けに行ってるんだ。――それ、みやげ？」

空っぽの昴くんのベッドを見ていたら、手にかけていた紙袋を勝手に取られた。

「生クリームのケーキかよ。オレ、食っちゃいけねえんだよな……」

箱を開けて、肉まんがぼやく。一個五百円もするものを、わざわざついでにあんたにも買ってやったというのに、何だその言い方は。でも、肉まんは丁寧に箱を閉め、ベッドに出していたテーブルの上に置くと、どこか神妙な顔つきでわたしの方を向いた。

「なあ、さくら、成功率七パーセント、って死んじゃう？」

「――え？　七パーセント？」

「手術の成功率だよ」

成功率七パーセントということは、失敗率九三パーセントということではないか。肉まんのことだろうか。いや、こんな低い成功率、本人には絶対に知らせないはずだ。

「それって、……昴くんの？」

肉まんは黙って頷いた。

昴くんはそんなに重い病気だったのか……。もともと、死の瞬間を見るためにここに来たはずなのに、具体的な数字を出された途端、どう受け止めればいいのだろう、と迷ってしまう。

「ゼロじゃない限り、望みはあるよ」

「岡ちゃんみたいなこと言うなよ。オレは……死んじゃうと思うんだ」

「そんな、軽々しく言っちゃだめだよ。やってみなきゃ、わかんないじゃん」

「さくら、高校生だろ。ちゃんと現実的に考えろよ。出かけるときに、雨の確率九三パーセントでも、傘持っていかないのか？」

「持っていく、けど」

「だろ？　それといっしょ。死ぬこと前提で考えなきゃだめなんだ。——でさ、ここからは内緒の相談なんだけど」

肉まんは壁の時計を確認し、まだ大丈夫だな、とつぶやいた。

「オレ、死ぬ前に、あいつの願いごとを叶えてやりたいんだ。でも、オレだけじゃ無理だから、さくらに協力してもらいたいんだよ」

願い事を叶える……。えらそうな言い方をしながらも、必死で訴えるような目でわたしを見ている。肉まんの中では昴くんの死は確定していて、それを受け止めた上でわたしに頼んでいるのだ。

「……何をして欲しいの？」

「昴の父ちゃんを、ここに連れてきてほしい」

「父ちゃん、って？」

「昴の親は離婚してるんだ。で、原因は父ちゃんのほうにあるからって、母ちゃんが一方的に親子の縁切っちゃってさ、会わせてもくんないし、連絡先も教えてくんないんだ。そんなの親の勝手だろ。昴は父ちゃんに会いたいんだよ」

肉まんは枕の下に手を入れた。

「ほら」

くしゃくしゃになった長方形の水色の紙切れを、わたしの目の前にかざす。

——パパに会えますように。

「七夕会のときにみんなで書いたんだ。あいつ、最初に書いたのをゴミ箱に捨てたから、気になって」

願いごとの短冊だ。

「手術の前日に、内緒で昴の父ちゃん呼んで、あいつに会わせてやりたいんだ。そうしたら、難しい手術でも、がんばれるかもしんないだろ。頼むよ、時間がねえんだよ」

「手術、いつ？」

「来週の水曜日」

「あと、五日？　なんで、もっと早く言わないの？　っていうか、昴くんのお母さんにお願いするのが、一番確実じゃない？　わたし、頼んであげようか」

「ダメだ。あいつの母ちゃん、父ちゃんのせいで、心の病気になってるみたいでさ、そんなこと頼んだら、もっと具合が悪くなっちまうよ」

「じゃあ、親戚の人とかは？　お母さんに上手いこと言って、親戚の人の電話番号訊くくらいなら大丈夫じゃない？」

「あー、それもやめといたほうがいいと思う。うまくいってないみたいだから。たまに見舞いにくるおばさんなんて、むちゃくちゃいじわるなんだぜ」

成功率七パーセントの手術を控えているのに、家族のことで心を悩ませているなんて。このあいだ、昴くんが、地獄の本はパパに買ってもらったの？　と訊いてきたのは、もしかすると、昴くん自身が父親捜しをわたしに頼みたかったからかもしれない。

でも、礼儀正しい昴くんは、そんなあつかましいことを言い出せなくて、それを見かねた肉まんがこんな計画を思いついたのか。

最期の時が迫りつつある男の子の願いを、わたしが叶えてあげて、わたしが見送ってあげる。そうすることにより、昴くんの死はわたしにとってかけがえのないものになるはずだ。

「お父さんのことで知ってることは？」

肉まんがベッドの横にあるロッカーの引き出しからメモを取り出した。

「名前と前の仕事場。売り上げナンバーワンになって、家族でディズニーランドに連れてってもらったこともあるんだって」

「前って、今は？」

「わかんない」

メモを受け取る。

「名前、これで合ってるの？」

「うん。おもしろい名前だろ。営業の仕事なんか、名前を覚えてもらえてなんぼだから、親に感謝しなくちゃな、ってよく言ってた。……って、昴が言ってた」

「新しい仕事で、外国とか行ってたらどうするの？　北海道や沖縄でも、かなりきついと思うよ」

「それは大丈夫。親戚のおばさんがうっかり、市内にいるみたいなことを言ってたらしいから」

「せめて、写真とかないの？」

「母ちゃんが全部処分したって。けど、かなりもててたらしいぜ」

あの昴くんのお父さんだ。きっとかっこいいのだろう。離婚の原因も女性問題だったのかもしれない。

美しい父と子の感動の再会——これは、ぜひ見たい。

「……わかった。捜してみる」

「約束してくれんのか？」

「それは、わかんない」

「なんだよ、それ」

「守れない約束なんか、意味ないじゃん。でも、なるべくがんばる」

「——あ、それからさ、もしみつかっても、ここに連れてくるとき、あんまり昴の話はしないでほしいんだ」

「どうして？」

「いくらびっくり作戦でも、相手ばっかりいろんなこと知ってたら、イヤじゃないか？　昴はそういうヤツなんだ。できれば、父ちゃんのほうも内緒で連れてきて、秘密のご対面ってできれば一番いいんだけどな。——まあ、それはムリとしても、できるだけびっくり路線で行こうぜ」

「そう上手くいけばいいけど……」

「ま、ここからは、さくらの腕次第だ。——っつか、本当にお願いします。一生のお願いです」

肉まんがベッドの上で土下座する。肉まん自身の病気はどれくらいのものか知らないけれど、昴くんのことを聞いたあとでの、病院での一生のお願いは、本当に一生のお願いのような響きを持っていた。

死に向かう少年同士の友情。これは成功すると、ものすごいことになるかもしれない。

「いいよ、頭なんかさげないで。——約束する。絶対に連れてくるから」

「ホント？」

満面の笑みで肉まんが顔を上げた。

「やっべ、これ隠しとかなきゃ」

肉まんは短冊を枕の下に戻した。このあいだの昴くんといい、大事なものは全部、枕の下に隠しているのだろうか。

「あんたって、友だち思いなんだ」

「ちょっとは、見直したか」

「ちょっとだけね。ところで、あんたのお父さんはどんな人なの？」

「オレの父ちゃんは……」

ドアが開き、昴くんが入ってきた。注射を打ったのか、細い腕に、折りたたんだガーゼがテープで貼られている。

「あ、さくらお姉さん、来てくれてたんだ」

心なしかいつもより青白い顔で、ニコッと笑いかけてくれる。

「おい、昴、さくらがケーキ買ってきてくれてるぞ」

肉まんに言われ、箱を開けてのぞき込む。

「うわあ、おいしそう。ぼく、ケーキ大好きなんだ。お姉さん、ありがとう」満面の笑みだ。

成功率七パーセント。あと五日で人生が終わってしまうかもしれない昴くんの最期が、すばらしいものになるかどうかは、わたしにかかっているのだ。

午後にでも、前の会社に連絡してみよう。感動に飢えている退屈な大人なら、難病の少年の願いを叶えたい、と言えば、電話一本で教えてくれるんじゃないだろうか。

＊＊

金曜日の午後は文化活動だ。今日は「朗読会」で、〈小鳩会〉っていうボランティアグループの人が来てくれる。本を読んでくれるだけだから、準備は年寄りたちが座る椅子を並べておくだけでいい。めずらしく掃除が早く終わって、午前中に準備ができた。

今日は趣向を変えて、人形劇をしてくれるらしい。給食のあと、大沼さんからそう聞いて、舞台の設置なんかの手伝いがいるだろうって、あたしとおっさんは少し早めに多目的室に行った。

でも、五十代くらいの太ったおばさんに「手伝いはいらない」と言われた。人形劇だっていうのに、エプロン姿のおばさん一人しかいないし、荷物も大きな袋が一つあるだけ。

おっさんは、耳が遠い人も今日は見にくるかもしれないから、前のほうに椅子をもう少し出しておこう、と言って部屋の後ろに積み重ねているパイプ椅子を広げ始めた。手伝おうかと思ったけれど、せいぜい残り十脚くらい。おばさんが準備するのを、見させてもらうことにしよう。

「今日の舞台はこれ」

おばさんは紺色の無地のエプロンを掛けたぶよぶよのおなかをたたいた。

「エプロンシアターってご存じ？」食いつかれそうな笑顔で訊かれる。

「いえ……」

「このエプロンを舞台に見立てて、ほら、こうやって」

おばさんは袋から、フェルトでできた木や家を取り出して、エプロンにくっつけ始めた。なるほど、森の中のおうちっぽくなった。マジックテープで付けるのか。でも、こんなにちまちましたものが、年寄りたちに見えるのかな。きっと、そんなことは関係なくて、このおばさんがこれをやってみたいだけなんだろうな。

「おもしろいでしょ。このあいだ、S大付属病院の小児科病棟でやったときも大盛況だったのよ。小さな子はもちろん、小学五年生の大きな男の子まで、みーんな喜んでくれたわ」

「へえ……」相づちを打とうとしたら、背後から「ひっ」と声がした。おっさんだ。パイプ椅子で指を挟んだみたい。血が出たのか、右手の人差し指を吸っている。

「大丈夫ですか？」

パイプ椅子でケガをする人なんて初めて見た。まったく、どこまでドンくさいんだろう。

「ちょっと、医務室に行ってくるよ」

ちょっと血が出た程度なのに、大げさな。

「大丈夫かしら」おばさんがものすごく心配そうな顔で言う。まるで、大げさ劇場。

「すいません……」あたしが謝ることじゃないけれど、つい、口から出てしまう。

「ねえ、それより、あなたもやってみない？　エプロンシアター」

おばさんは心配顔を笑顔に、一気に早変わりさせて言った。

「人形劇をですか？　ムリ、ムリ、絶対にムリです」

「あら、おなじみの話ばかりだから簡単よ」

「だって、今初めて見て、そんなことできるはずないじゃないですか」

「そういうものかしら……。でも、このあいだ、高校生の女の子は初めてでもやってたわよ」

「その人が、特別です。あの、すいません。あたし、ちょっと、医務室に行ってきます」

急いで多目的室を飛び出した。人前で人形劇なんて、冗談じゃない。だいたい、おなじみの話ってなに？　台本とかないの？　練習は？　いきなりさせるなんて罰ゲームかいやがらせだ。

由紀ならあのおばさんにはっきりそう言ったはず。あたしはムリだけど。

でも、由紀の無表情人形劇ならちょっと見てみたい。おもしろそう。

それにしてもおっさんは何をしてるんだろう。消毒して絆創膏をはるくらいなのに。忙しい看護師さんたちにかまってもらえずに、自分でしているのかもしれない。おっさんなら、一枚はるのに、三枚無駄にしそうだ。

しょうがない、絆創膏くらいはってあげるか……。

医務室のある一階までエレベーターで降りてくると、エントランスにおっさんがいるのが見えた。誰かにぺこぺこと頭を下げている。

相手は四十代くらいのおばさん。入居者の家族？　また何か、失敗でもしたのかな。いや、そうじゃないみたい。指に絆創膏をまいた手で、おしゃれな紙袋を受け取っている。うちの近所のケーキ屋、ショートケーキが五百円もする店のものだ。いいな。……あれ？

よく見ると、紙袋を渡しているおばさんの横顔にも見覚えがあった。

――由紀のママだ！

なんでこんなところにいるんだろう。もしかして、由紀のおばあさんもここに入っているのかな。桜井さんなんていたっけ。それより、どうして、おっさんに菓子折なんか渡しているんだろう……。

ものすごくイヤな予感がして、二人に見つからないように、柱のかげに隠れた。

由紀のママが帰っていく。自動ドアを出てからも、一度振り返って、おっさんに頭を下げた。おっさんも頭を下げ返している。姿が見えなくなるまで、何度もぺこぺこぺこぺこ——。

振り向いた。

「照れなくても、出てきて挨拶すればよかったのに。きみが助けたんだからさ」

「……水森さんの、家族の人ですか？」顔だけ出して訊いてみる。

「うん、同居していた娘さんだって。先日はだんなさんとお嬢さんも一緒に病院に来ていたよ」

予感的中。やっぱりそうだったんだ。足の力が抜けて、立ってらんない。ふにゃふにゃとしゃがみ込んで、頭をかかえてしまう。同居しているおばあさんが必ずしも、同じ名字だとは限らないんだ。

水森さんの娘が由紀のママ。

あたしは由紀のおばあさんを助けてしまった。由紀の左手にひどいケガを負わせた人を……。

「気分でも悪いの？」おっさんがやってくる。

「家族の人たち、何か言ってませんでしたか？　余計なことしやがって、とか、そんなかんじのこと」

「まさか。そんな悪意のこもった態度をとるはずないだろう。こっちを非難するようなことも言われなかったたし、誠実に対応してくれたし、今日もこうやって、改めてお礼を言いにきてくれたくらいだし」

「家族の人に、あたしのことは……」

「申し訳ない。タイミングが合わなくて、それは言ってないままなんだ。ケーキまで持って来てくれたのに。やっぱり、さっき言えばよかったね」

「ダメ、絶対に言わないで！」思わず、立ち上がってしまう。

「そっか。でも、これは、きみが一番に選ぶといいよ」

ポカンとした顔のおっさんに、ケーキの箱を差し出されて、受け取った。箱が二段になっている。かなりたくさん入ってるみたい。でも、ケーキくらいで安心しちゃダメ。基本的に由紀の家はきちんとしているのだ。

ポーカーフェイス一家。感情を顔に出さないだけで、はらわたは煮えくりかえっているに違いない。少なくとも、由紀は。

あたしが助けただなんて、由紀に知られたら、――考えたくない。

＊

株式会社東洋ハウス。本社は東京。全国に支社があり、一番近いところは県で二番目に人口が多いF市、うちからだと、電車で一時間半かかる。

まずは、東洋ハウスF支社に電話をかけてみると、女性が明るい声で応対してくれた。きちんとこちらの名前と学校名を言い、昴くんのお父さんのことを訊ねると、昨年の六月末付けで退職した、と言われた。連絡先を教えて欲しい、と頼むと、わからない、と言われ、誰か知人を紹介して欲しい、と頼むと断られ、実は息子さんが病気で、と事情を説明しても断られた。

個人情報保護法に反することはいたしかねます、と。

F支社まで直接行っても、門前払いをくらいそうで、近くの住宅展示場に行ってみることにした。そこなら、自転車で十五分くらいで行ける。

桜宮ハウジングパークという、住宅メーカー五社のモデルハウスが一列に並んだ展示場の、一番奥にあるのが、東洋ハウスのものだった。

白いうろこ状の塗り壁にオレンジ色の瓦屋根、「タイプA　プロヴァンスの風」と玄関前に置かれた看板に書かれ、南仏っぽいイメージを出すためか、花壇には、色とりどりの花やハーブが植えられている。

木製のドアをあけると、いらっしゃいませ、と若い女性が笑顔で迎えてくれた。やさしそうな笑顔に、期待が高まる。

「お忙しいところ申し訳ございません。東洋ハウスに勤務していた方の連絡先を教えていただきたいのですが、よろしいでしょうか」

笑顔のまま、申し訳なさそうに断られた。

個人情報保護法に反することはいたしかねます、と。

同じことを……、マニュアルを読んでいるだけじゃないか。

成功率七パーセントの手術を受けるかわいそうな男の子の願いを叶えてあげたいんです。と、泣き落としても無理そうだ。ここにいても時間の無駄。

すみませんでした、と頭を下げてプロヴァンスの風をあとにした。

さあ、困った。ぼんやり歩いていると、声をかけられた。

「よかったら、うちも見ていきませんか？」

東洋ハウスの二軒隣、三条ホームの前に立っているスーツ姿のおじさんだった。夏休みの宿題で、住宅について調べているとでも思われているのだろうか。

「いえ。人捜しをしているだけなので、すみません」

「東洋ハウスさんで働いているの？」見ていたのか。

「去年の六月までそこで働いていたそうなんですけど、今どこにいるのかわからなくて」

「へえ、誰だろ。去年の六月頃辞めたこの地区担当の人なら……あの、ヨシオか、タカオか、かわった名前の人かな？」

「それ、そうです！　たかお！　ご存知なんですか？」

「合同のイベントなんかで、他社さんとの交流は多いからね。まあ、こんな暑いところじゃなんだから、中へどうぞ」

　どっしりとした高級感のある家の中に案内された。柱から壁紙に至るまで、すべて高品質のものが使用されているらしく、中でも一番のうりは、玄関ホールに敷かれた、ブラジルから直輸入された御影石の一枚板らしい。プロヴァンスの風よりかなり高そうだ。

　冷房がきいたリビングの、やわらかい革張りのソファをすすめられ、アイスコーヒーをごちそうになりながら、おじさんに事情を説明した。

「きみはあの人がどうして仕事を辞めたのか知らないの？」

「知りません。どうしてですか？」

「いや。それなら、黙っておこう。あまり他人のことを知ったかぶって話すもんじゃないからね。ああ、心配しなくて大丈夫。きみが知りたいことは、ちゃんと教えるつもりだよ。でも、これは個人情報だ。本来ならやってはいけないことを、僕はきみのためにしてあげようと言っている。――で、きみは何をしてくれるの？」

　そんなこと、考えてもいなかった。

　だいたい個人情報個人情報と、立て続けに出てくるけれど、そんなにもったいぶるようなことなのだろうか。女子高生に、中年男性ひとりの連絡先くらい教えてくれてもいいじゃないか。逆に、どうやれば悪用できるかを教えてもらいたいくらいだ。

　世の中、特別扱いされたい凡人だらけ。

「週末は忙しくてね……。月曜日に僕が指定する場所に来てくれないか。そこで、きみに二・三頼みごとをしよう。それがきちんとできたら教えてあげるよ」

「頼みごと、って何ですか?」

「僕のような中年男がきみのような女子高生にのぞむことだ。いやなら来なくていい。手術の二日前だ。それまでに別の方法で調べてわかるかもしれないしね。とりあえず、きみ次第だ」

ニヤニヤしながらそう言うと、リビングの飾り棚に並べて置いてある広告を一枚取り、わたしの前に置いた。「三条ホーム展示場、夢の台にオープン!」とあり、家の写真と簡単な地図が載っている。

「ここで、晩の八時から九時のあいだだけ、待ってるよ」

＊＊

由紀のママが持ってきてくれたショートケーキの詰め合わせを、休憩時間に職員の人たちと食べることになって、おっさんの言った通りあたしから好きなのを選ばせてもらえたけど、まったく嬉しくなかった。

「きみのとっさの判断力のおかげで、水森さんは助かった。本当にありがとう」

所長じきじきにスタッフルームまで来てくれて、ケーキを食べているあたしにお礼を言ってくれたけれど、お願いだから、そのことは二度と口にしないで、って頼みたい気分だった。

家に帰ってからも、気持ちは落ち着かないまま。

死を悟りたい、そのために死体を見たい、って思ってたのに助けてしまった。それについては後悔していない。でも、よりによってあたしは、一番助けちゃいけない人を助けてしまったんだ。運命って残酷。何も知らなかったとはいえ、水森さんが由紀のおばあさん……。

あんなキズを負わされて、由紀がおばあさんを憎んでいないはずがない。

今のところ、由紀はおばあさんを助けたのはおっさんだと思ってるはずだけど、いつか本当のことがバレてしまうかもしれない。

そうなったら、きっと、由紀に仕返しをされる。——小倉みたいに。


由紀は小倉を盗作で訴えたりはしなかった。でも、何もしなかったわけじゃない。だから、やっぱり盗作だったんだ、と確信できたんだけど。

今年の一月末、小説の冒頭部分が載せられたプリントを配られた数日後。

体育の授業中、その日はバスケだったから、あたしと由紀は情報処理室で、バスケットボールに関することをインターネットで調べてレポートにまとめる、って課題をさせられていた。

二人で一台のデスクトップ型パソコンを使って調べてたけど、情報処理室にはあたしたちしかいなかったから、ある程度調べると、まったく関係のない〈リズ〉のサイトをのぞきに行ったりしていた。

由紀とはあんまりファッションの趣味が合わないけど、〈リズ〉はお互い大好きなブランド。でも、あたしたちの活動エリア内で手に入るのは、ハンカチくらい。それも、一枚二千円もする。ネットでもバッグや財布なんかを買うことはできるけど、渋谷本店の限定品は買うことができない。ファッション雑誌《ジュリア》を見ながら、毎月「ほし〜い」ってサインペンで書き込んでみるけど、それで終わり。

夢中になって新商品の紹介を見ていると、由紀が鞄の中から、ノートパソコンを取りだした。由紀はパソコンを持っていないはずなのに。

「ついに、買ってもらったの？」

とは言ったけど、おもてには小さなキズがたくさんついてたり、開くと、黒いキーボードが白っぽく色あせしてたり、かなり使い込んだものみたいに見えた。

由紀は黙ったまま、パソコンを起動させて、慣れた手つきでキーボードを操作し始めた。パスワード……KY……「キョム」？　って何だろう。

「もう、使いこなせるんだ」感心しながら言うと、「情報の授業で習ったでしょ」ってそっけなく返されて、そのまま、画面をこっちに向けられた。

「ラブ、ダイアリー、ウィズ、セーラ？」

ブログかな。日記のような文章が書かれていて、その下にあたしたちと同じくらいの年の女の子とおっさんのツーショット画像が三枚並んでいる。おっさんは、担任の小倉だった。

「小倉のブログ?」由紀に訊いた。

「ううん、プライベートな日記だと思う」

「どうして、由紀がそんなものを?」

「だって、これ小倉のパソコンだもん。さっき、ここの鍵を取りにいったとき、一緒に持ってきたの。机の上に置きっぱなしで、授業に行ってたから」

由紀はしらっとした顔でそう言った。

「パスワードは?」

「虚無? 小倉の同人誌の名前。授業中に自慢してたじゃん。メールアドレス教えてくれたときも。自分のパスワードは全部これだ、って」

「やばくない?」

「チャイムが鳴る前に、職員室に課題を出しに行って、ついでに置いてくれれば大丈夫だよ」

「じゃなくて、これ。この日記。なんで、こんなのがあるって知ってたの?」

「最初に見つけたのは、体育祭のとき。そのときはこんなのじゃなくて、普通の日記だったんだけど、昨日の放課後、職員会議のあいだに久々に見たら、こんなのになってて。おもしろかったから、敦子にも見せてあげようと思ったの」

由紀はページをさかのぼらせていった。クリスマス。ちょっと高そうなホテルで、二人で泡風呂に入ってたり、赤いスケスケの下着かコスプレかわからないような格好をして、キスしてたり、シャンパンっぽいので乾杯してたり……、かなりきわどいことをしている画像が載せられていた。

「よく、こんなのが入ったパソコン、平気で学校に持ってこれるね」

「危機感や自覚がないいんだよ。ケータイの待ち受けを彼氏とのツーショット写真にしてる子たちと同じくらいの感覚なんじゃない？」

「この子、うちの学校の子かな？」

「ううん、違う。だから気付かないいんだよ。たとえ自分の学校の生徒じゃなくても、大人が未成年と関係持つのは犯罪だってことに。ほら」

由紀が日記の一文を指さした。

黎明館にはスポーツ推薦で入ったというセーラだが、俺の文学を理解できるのだから、頭脳も明晰といえるだろう。桜宮のくずどもとは人間の種類からして違うのだ。

「へんな詩を書いてる日もあるんだよね」

由紀はそう言って、別の日のページを開いた。

「ああ、僕の天使セーラ。バラ色の唇、サファイアの瞳。きみのためなら、百年の眠りにも耐えてみせよう……って、どこから見ても日本人なのに。ホントの名前は何だろうね。聖子とか、そんな感じかな。それに、眠り姫って、王子様は寝ないよね」

おかしな詩を読みながら、そんなことを言ってたっけ。

その後、由紀はとんでもないことをし始めた。あたしたちが使っていたデスクトップからケーブルを引き抜いて、ノートパソコンに接続したのだ。

メール画面を開き、アドレス帳から学校関係者というグループを選択。タイトルなし、本文なし、添付ファイルあり。――送信。

「はい、終了」

ケーブルをもとの状態に戻して、ノートパソコンを閉じた。

「あの日記を送っちゃったの？」

「まさか。そこまでひどいこと、しないって。仕事、クビになっちゃうでしょ。――こんな無防備なことしてたら今度は日記を送信するかもって警告してあげただけ。これ、返してくるね」

いつのまにか仕上がっていたレポートを持って、出て行った。


小倉は三月に退職した。

由紀が送信したのは、全学年の国語の成績表。十段階の評価を見られて、嬉しいもんじゃないけど、そんな大騒ぎするほどのもんでもない、って思ってたら、職員室は大騒ぎどころじゃなくなってたらしい。新聞にも載ったし、保護者たちからは抗議が殺到してたみたいだけど、教室では「バカだねー、小倉」って程度の騒ぎだったから、退職って聞くまでは、そんな大変なことだとは思ってなかった。

いっそ、あの日記を送信されてたほうがマシだったのかもしれない。

しらっとした顔で退職の挨拶を聞いていた由紀は、どこまで予測してたんだろう。

全部計画通り？　盗作された仕返しに、退職に追い込んだ。おばあさんを助けた仕返しは、きっとその何倍もひどいはず……。

憂鬱な気分に頭がぐわんぐわんして、気分が悪くなってきた。眠ってしまえば楽になれそうなのに、それでも、学校裏サイトのチェックをしてしまう。

夏休みだし、学校の子たちとはまったく交流がないから、悪口を書かれる憶えもないけど、それでも、見ないとやっぱり不安。書き込みは毎日必ずある。あたしと同じように毎日ここをのぞきにきて、ついでに何か書き込まなきゃ眠れない、って子もいるんだろうな。援交ネタばかり。……援交か。小倉とセーラちゃんはいったいどういう関係だったんだろう。

桜宮の学校裏サイトには、近辺の他の学校の裏サイトのリンクがはられているから、簡単にのぞきにいくことができる。あたしがたった一度書き込んだのは黎明館の裏サイト。あの日、小倉の日記を読んだ日だ。

腹がたったのは、スポーツ推薦で黎明館に入ったセーラちゃんに対して、桜宮の生徒は人間のくずだって書いてあったから。じゃあ、あたしはまさに人間のくずだ、って言われてるような気がして、自覚はしているのに、他人に言われると腹が立って腹が立ってしょうがなくて。

だから、書き込んだ。

「セーラは援交マニア。今の相手は盗作おやじ。世界は二人のために。それ以外のヤツらは人間のくず」

セーラなんてどうせ小倉がつけたおかしな仮名だろうから、書き込んでも意味はなかったんだろうけど、かなりすっきりした。そして、翌日から怖くなった。

でも、今思えば、たいしたことじゃない。由紀が小倉にしたことに比べれば、あたしがしたことなんて、ささやかなことだ。

セーラちゃんは今頃どうしているんだろう。小倉が死んだことは知ってるのかな。久々に、黎明館の裏サイトをのぞきにいってみようかな。いくらなんでも、もう時効のはず。

黒い画面の端に、小さくびっしりとはられたリンク先をあんまり意識して見ることなかったから気づかなかったけど、黎明館の裏サイトの隣に、見るからに縁起の悪そうなサイトのリンクがはられてる。

死の預言書？　なんだ、これ。こんなのいつからあったんだろう。ヤバいことになったらイヤだな。でも、「死」って言葉は気になる。

ちょっと見るだけなら……。

すごい。自殺予告や殺人予告がバンバン書き込まれてる。それも、自殺場所や殺したい相手の学校や職場の名前が伏字になってるけど、予測できる場所ばかり。この辺りの地域限定っぽい。

きっとおもしろがって書いているものばかりなんだろうけど、中には本気の予告もあるはず。

夢中になって画面を見ていると、とんでもない名前をみつけてしまった。これって……。

「八月四日（火）、因果応報！　たかお×2を地獄に堕とす」

たかおたかお？　――おっさんだ。こんな名前、仮名でもなかなか思いつかないはず。おっさん以外にありえない。

高校生ならおもしろがって書いてると思えるけど、おっさんはいい歳をしたおとな。イタズラで書かれてるとは思えない。この予告がどこまで信じられるのかわかんないけど、少なくとも、こういうところに書き込まれるくらいは確実に、誰かに恨まれているということだ。

ドンくさいけど、悪いことはできなさそうなのに。どうして恨まれなきゃならないんだろう。おっさんのことはほとんど何も知らないけど、人に恨まれるほど、大それたことをできるような人じゃないと思う。

やっぱり人違いかな。なんとかたかおという男の子が、彼女にたかおたかおと呼ばれていて、浮気かなにかやらかしたのかもしれない……。いや、待て。

一人いた。

由紀だ。

憎いおばあさんを助けた、憎いヤツ＝おっさん。

由紀は絶対、おっさんに仕返しをするはず。盗作よりも重い罪。こんなところに殺人予告を書き込んだくらいで満足するはずがない。

しらっとした顔で確実に実行する。

＊

ベッドに寝転がり、考える。

昴くんの手術は五日後。成功率は七パーセント。死ぬ確率は九三パーセント。

五日後には死の瞬間に立ち会うことができる。その瞬間を最高の状態で受け止めるためには、わたしも何らかの代償を払わなければならない。

手術の前にお父さんに会わせてあげる――死ぬ前にお父さんに会わせてあげる。

そのためには、三条ホームのおじさん、名前を聞いていなかった、あの「三条」とヤレばいいだけだ。

それ以外にも、昴くんのお父さんの居場所を知る方法はないか、とネットで名前と前の職場を検索してみたり、電話帳を調べてみたり、市役所に電話してみたりしたけれど、無駄だった。同じ市内に住んでいるはずの、名前や前の職場までわかっている人を捜すのが、こんなに難しいなんて。

やはり、三条に教えてもらうしかない。

ヤルことが手段になるのなら、もったいぶることはない。ただ、初めての相手があんなのというのはどうなのか。いくら、難病の少年の願いを叶えるためという付加価値がついていても、なんだか、みすぼらしい。

初めてだということが三条にバレて、いい気になられるのも癪《しゃく》にさわる。

美しい死の瞬間を見届けるのに、不快な気分が残っていてはダメ。昴くんに「お姉さん、どうやってパパを捜してくれたの？」と訊かれて、三条の顔が浮かんできたら、一気に気持ちが冷めてしまいそうだ。

先に、牧瀬とヤッておくか……。

自分だけが死を悟っている、という態度にはムカついたけど、嫌いというわけではない。図書館で本をばらまいて困っているところを助けてくれた、という、少女マンガでも今どきありえないような出会い方も、けっこう気に入っている。

でも、どうすればいい？　とにかく、時間がない。

……花火大会だ。

早速メールを打つ。

明日の花火大会、もう誰かと約束した？　受験勉強の邪魔しちゃ悪いなって思ってたけど、やっぱり牧瀬と行きたいな。由紀。

返信は五秒後だった。がっついた感じが、今日に限ってとてもいい。あとは、浴衣くらい着ていけば、上手くいくだろうか。いや、いかせなければ。

最高の死の瞬間を演出するために。

第四章

八月一日（土）

＊＊

三階の廊下の掲示板に、年寄りの書道や絵画の作品を貼る。おっさんが上の段、あたしが下の段を担当。

殺人予告を見て以来、おっさんのことが気になってってしょうがない。仕事中も給食中も休憩中も気が付けばおっさんばかり見てる。あまり見過ぎておっさんに「何かまた迷惑かけるようなことしたかな」と三回ほど訊かれてしまったくらい。

そのたびに、「え？　なにがですか？」ってとぼけてみるけど、女の子の視線を感じて、何か迷惑をかけたと思ってしまうなんて、みじめすぎる。きっと、電車の中で、自分が足を踏まれても、すみませんて謝ってしまうんだろうな。

世の中は運のいい人と悪い人の二種類にわけることができる。って有名な女性占い師がテレビで言ってるのを見たことがあるけど、おっさんは運の悪い人に分類されるんじゃないかな。そして、あたしも。

自分の仕事をひとつひとつがんばってこなしてるだけなのに、他人に迷惑をかけてしまうおっさん。パイプ椅子で指をケガしてしまうおっさん。「お代官様〜」とその場を盛り上げようとがんばってるのに、かえってしらけさせてしまうおっさん。

ついさっきも、廊下に画鋲を盛大にばらまいたばかり。少しあきれたけど、それ以上に悲しかったのは、その後のおっさんの行動を予測できたこと。

「うわー、すまん、すまん、すまん……」

一大事みたいにそう言って、おっさんは急いで画鋲を拾ったけど、ケースの中が髪の毛やほこりでいっぱいになってしまったことは、あまり気にとめていない。悪気があるわけじゃない。確かに気が利かないんだろうけど、それ以上に、その場を取り繕うのに必死なんだ。

嫌われないように、あきれられないように、ダメ人間って思われないように。そして、集団から迫害されないように。

もしかすると、学校でのあたしはおっさんみたいに見えてるのかもしれない。認めたくないけど、ここに来て、おっさんを見ながら悲しくなるごとに、その思いは強くなっていく。

そりゃ由紀も、あたしと一緒にいると疲れるだろうな。

結局、今日までメールは一度もこなかった。ホーム内ではケータイの使用は禁止されてるから、いつも電源を切って更衣室のロッカーに入れてるけど、今日だけは、内緒でマナーモードにしたケータイをズボンのポケットに入れている。もうすぐ終業時間、いっそ、電源を切っておいて、花火大会には誘ってくれたけどつながらなかった、って思うほうが楽だったのかもしれない。

由紀は何してるんだろう。やっぱり、殺人予告を書き込んだのは由紀なのかな。だとしたら、どうやって、おっさんを殺すつもりなんだろう。

小倉のときもそうだったけど、由紀にはためらいがない。普段から、「仕方ない」って言葉をよく口にする。クラスで無視されてる子がいて、「かわいそうだね」って言っても、「友だちと一緒に自分も万引きしたのに、名乗り出なかったんだから仕方ない」ってあっさり突き放す。

そのうえ、初志貫徹、っていうか、妙に律儀なところがある。くじびきでいやいや当たってしまった役割でも、引き受けたからには最後まで絶対にやり通す。「やっぱりムリ」とできないことを認めるくらいなら、しんどい思いをしたほうがマシ、って思ってるのかもしれない。

こうなると、年寄りではなくおっさんで、死を悟ることになるかもしれない。あたしのせいで殺されるんだ。おっさんを助けるためには、あたしが由紀にホントのことを話せばいいんだろうけど、そんなことは絶対にできない。

由紀に嫌われたら、あたしは一人ぼっち。

「草野さん、悪いけど」

脚立のてっぺんにのぼっているおっさんに声をかけられる。

「画鋲ですか？」

「いや、この絵、重いから何ヵ所か補強しておきたいんだけど、ちょっと端を支えていてくれないかな」

見上げると、おっさんはいろんな色が塗りたくられた水彩画のカンバスを太い画鋲で固定しようとしていた。底を支えようと手を伸ばしたけど、ぎりぎり届かない。

「ムリです」

「いや、そうじゃなくて、脚立にのぼって」

困ったようにおっさんが言う。脚立なんて、絶対にムリ。地面から足が離れるなんて、絶対にムリ。こんなにぐらぐらしたとこにのぼって、転ぶのは、もうイヤ。

「ムリって言ったら、ムリです。ムリムリムリムリ……」

まぶたにギュッと指を押しつけられたように、目の前がいきなり真っ暗になった。呼吸が、できない。助けて、助けて……由紀、助けて。

＊

このあいだと同じ時間に病院に行くと、今日は昴くんだけがいた。肉まんは検査を受けているらしい。

どうにかなりそうかも、と報告してやろうと思っていたのに、ホント、タイミングの悪いヤツ。いや、約束したが最後、断られないように、当日までわざとわたしに会わないようにしているのかもしれない。

ふやけた顔をしているわりには、そういうところは抜け目がなさそうだ。

駅前にできたレトロっぽい駄菓子屋で買ってきたお菓子の詰め合わせを昴くんに渡すと、「おまつりみたい」と喜んでくれた。

「お姉さんは今日、花火大会に行くの？」

「うん」

「いいなあ。ぼくも、小さいときは毎年花火大会に連れてってもらってた。パパとママと三人でゆかた着て、夜店で遊んで、砂浜で花火を見るんだ」

「砂浜って、あの近くだと、松が浜海水浴場？」

「そうそう。あそこって穴場だよ。すいてるし、花火もすごくよく見える。パパが教えてくれたんだ。……楽しかったな」

パパ、パパ、と本当に楽しかったのだろうな。

「元気になったら、また行けるよ」

昴くんが「それは……」という顔をする。ものすごく軽はずみで無神経なことを言ってしまったか。成功率七パーセントということは知らされていないだろうけれど、大変な手術を受けるという覚悟はしているかもしれないのに。

話題を変えようと、ベッドに出したテーブルに置いている駄菓子の袋を取り、どれか食べる？　と訊くと、看護師さんに訊いてからタッチーと食べる、と言われた。

「タッチーも今月手術なんだ。お互い励まし合ってる最中だからさ、ぬけがけしちゃ悪いよ」

やさしいな。最近の小学生がどうなのかはわからないけれど、こんなときにまで友だちのことを思いやるなんて。最期の瞬間、肉まんに何と声をかけてあげるのだろう。

そして、わたしには。お姉さん、ありがとう？　想像するだけで、俄然、やる気がわいてくる。

「かわりにりんごをむいてくれない？」

少し照れた顔で言われた。昴くんのロッカーの棚には紙袋があり、中にりんごが六個入っていた。岡ちゃんにもらったらしい。

「ナイフは一番上の引き出しに入ってるから」

開けると、刃の部分にカバーのついた果物ナイフが入っていた。

「ごめん、昴くん。皮がついたまま、切り分けるだけじゃダメ？」

「あ、お姉さん、皮むきできないんだ」

「っていうか……、前に怪我しちゃって、左手の握力が三しかないんだ」

「左利き？」

「ううん、右。でも、左手でりんご持たなきゃいけないでしょ」

「ふうん……。かして」

りんごとナイフを渡すと、皮を剝き始めた。器用に左手でりんごをくるくるとまわしている。

「すごいね」

「食べたいときに、自分で食べれるように練習したもん。——ぼく、左手の握力六だよ。右手は九。ひ弱でしょ。でも、りんごの皮むきなんて、りんごとナイフを支えるだけの握力で充分なんだ。あとは、手首を上手に動かすだけ。……ってパパが教えてくれた」

また、パパだ。一日中、パパのことばかり考えているのかもしれない。

「わたしも、練習してみようかな」

「ぼくが教えてあげるよ。今日のはもうむいちゃったけど、手術までにまた来てくれる？　来週の水曜日だから。お姉さんと仲良しになれた思い出に、最後に何かぼくにできることをしてあげたいんだ」

「……最後、って」

ドアが開き、肉まんが入ってきた。

「なんだ、さくら、来てたのかよ」

相変わらず憎たらしいけど、いいところに帰ってきてくれた。

「そうだ、このあいだのこと、どうなった？」

駄菓子を物色しながら、さりげなく訊いてくる。昴くんに、何のこと？　と訊かれ、地獄の本、と平気な顔をして答えている。なかなかの演技力だ。

「なんとかなりそうだから、まかせて」

そう言うと、肉まんは意外にも、「お願いします」とまじめな顔でぺこりと頭を下げた。

こいつもまた、友だち思いだ。

＊＊

医務室で目を覚ました。また、やっちゃったんだ……。もう七時すぎ。自宅に連絡を、と言ってる大沼さんに「絶対やめて」って叫んだのは憶えてる。ママに過呼吸を起こしたことは、知られたくない。

七時半で勤務終了のおっさんに、駅まで送ってもらえることになって、ホームの車の助手席に乗り込んだら、少し離れた空の上に花火が上がった。赤だ。

「今日は花火大会だったんだ。友だちと行く約束とか、してないの？」

運転席のおっさんが、フロントガラス越しに花火を見ながら言った。あんのじょう、一番訊かれたくなかったこと。

「人がいっぱいいるのって苦手だから、いかない。それに、友だちは、そういうのを楽しむような子じゃないから」

「そっか、悪いこと訊いたね」

おっさんは前を向いたまま言った。花火が上がる。赤い大輪の花火。緑、黄、青……。小学生の頃は、毎年家族で花火大会に行ってた。市役所で働いているパパが前売り券を申し込んでくれるから、ゆっくりと海辺の観覧席で見ることができた。

腹の底まで音が響いて、火の粉が頭の上に落ちてくるんじゃないかと思うくらいの距離で見なきゃ、花火の良さはわからない、ってパパは毎年、口癖のように言ってたけど、遠い空に上がる花火も、なんだかとてもきれいだ。

「花火は好き?」おっさんが言った。

「好き」

「じゃあ、もっと、よく見えるところに行こう。ここからもう少し上がったところに、空き地があるんだ。……ああ、大丈夫。この辺の穴場らしいから他に何組かいるはずだし、でも、そんなには混んでいないはずだから」

どうしよう。でも、このまま家に帰ってママに、やっぱり今年は行けなかったのか、って気をつかわれるのもイヤだ。

「そうしたら、家にメールだけ」

ケータイを取り出すと、おっさんは車を発進させた。

いつものバス停を通過して、五分も走らずについた場所は、小さな空き地だった。舗装された山道を、何かあるのかと間違えて上がってきた車がUターンできる場所、といった感じで、その先の道路は舗装されていない。

家族連れが三組、高校生カップルが二組、シートを広げて花火を見ている。

「ちょうどいいのがあったよ」

車を降りて立って見ていると、おっさんが施設で使ってる大きなゴミ袋を二枚並べて敷いてくれた。体操服だし、ゴミ袋だし、おっさんだし、親に無理やり連れ出された引きこもりの子と勘違いされたらどうしよう。でも、誰もあたしやおっさんのことなんか見ていない。

遠い空に上がる花火をさえぎるものは何もなくて、確かにここは特等席。

中学生になると、家族と行ってるところを同級生に見られるのが恥ずかしくて、由紀を誘った。「子どもどうしだと危ないので」って断られたけど、ママが由紀のママに、「観覧席の券があるからご心配なく」って電話をかけてくれて、一緒に行けることになった。

あたしが浴衣で行くってママが言ったら、由紀のママも浴衣を用意してくれたらしい。お母さんが勝手に選んだ、って無愛想に由紀は言ってたけど、ピンクは由紀が好きな色だ。

ピンクの生地ではなく、白地にピンクのあさがお模様というところが、なんだかすごくおとなっぽく見えて、水色に金魚模様を着ていたあたしは、かなりうらやましかった。

でも、翌年は、由紀は浴衣を着てこなかったな。

「花火は、いいね」

おっさんがポツリと言った。日の落ちた空に目を向けたまま、うっすらと涙を浮かべている。あたしに気をつかって、花火を見につれてきてくれたのかと思ってたけど、多分、おっさんが見たかったんだろうな。

おっさんも一人で見るのが寂しかったんじゃないのかな。

殺人予告を書き込まれてることなんて、絶対に知らないんだろうな。もし、それを今おっさんに言ったらどんな反応をするだろう。ネット上に書かれてることなんて信じてるの？　って笑い飛ばしてくれたらいいけど、そんなことはしそうにない。

今以上に、背中を丸めて、遠くの花火を寂しそうに見るんだろうな……。

「何を、思ってるんですか」

「なんだろうね。人生は脆《もろ》い、そんなことをかな。ひとつずつ大切に積み重ねてきたはずの幸せが、一瞬で壊れてしまう。今の僕は、ヨルの綱渡り状態だよ」

「ヨルの……、綱渡り？」

「そういうタイトルの短編小説があるんだ。こう見えて、けっこう文学愛好家でね。去年かな、毎月買ってる文芸誌の新人賞を受賞した作品なんだ。単行本にはなっていないけど、僕はその話が好きでね。ときどき、無性に読みたくなるんだ」

まさかの「ヨルの綱渡り」。おっさんが読んでいたなんて。

「今も、その雑誌、持ってますか？」

「うん、家にあるけど。——ああ、そうか！　作者はこの辺りの高校の先生って新聞に載っていたけど、もしかして、草野さんの学校の先生？」

「一応、そうです」

「へえ、すごいな。冒頭と最後の詩の部分もいいけど、やっぱり主人公の——」

「待って、言わないで。読んでないんです。それで、どうしても読みたいんです」

「そうか。それなら、今度、持ってくるけど」

「今度って、週明け……」

明日の日曜日、あたしは休み。おっさんのシフトは、来週は確か月曜日が休みだったはず。ということは火曜日……。ダメ、おっさん殺人予告の日だ。おっさんが出勤前に殺されてしまったら、読めないじゃん。それに、あるとわかったんなら、今すぐにでも読みたい。

「できたら、今日、借りに行ってもいいですか？」

「いや、でも遅くなるし。どこにしまったかちょっと思い出せないから、捜すのに時間がかかるかもしれないし……」

おっさんは少し困った様子。でも読みたい。このチャンスを逃すと、またわからないままだ。

「それでも、いいです。どうしても、すぐに読みたいんです。お願いします」

どうしても知りたかった。由紀がダメ人間になってしまったあたしをどう思ってるのか。由紀にとってあたしは何なのか。あたしと由紀はまだ友だちなのか。

＊

病院から一度家に戻り、シャワーをあびて母に浴衣を着せてもらった。

白地にピンクのあさがお模様。わりと気に入っていたのに、実はおばあちゃんが、わたしが大きくなったとき用に、と作ってくれていたものだと知り、二度と着るもんか、と押し入れの奥にしまい込んでいたものだけど、今日ばかりは仕方がない。

「めずらしいのね、浴衣が着たいなんて。敦子ちゃんも浴衣で行くの？」

「今年は別の子と行く。二年になって転校してきた紫織って子。敦子は去年大変だったから誘わなかった」

嘘をついた。紫織、と言ったけれど別に誰でもよかった。母は敦子以外の同級生の名前など知らないのだから。

「そう。何時頃帰ってくるの？」

「わからない。でも、あまり遅くならないようには気をつける」

「結局はおばあちゃんのやり方が正しかった。――なんてことにならないようにね」

さりげなく、でも鋭い、釘の刺し方。

門限がなくなった途端、男と遊び歩いてこのざまだ――とならないように、避妊用品を買っておいた方がいいのだろうか。どこで？　祭りに行く格好でそんなものを買っている姿を、近所の誰かに見られてしまったら……。

怖いのは、母がおばあちゃん化してしまうこと。

今不祥事を起こすと、絶対、高校を卒業しても、家から出してもらえない。

牧瀬はそういうことはきちんとしてくれるかもしれない。これから受験だし、校則も進学校の方が厳しいだろうし。でも、あいつはバカだ。終わったあとに、ヤバいとか言い出しかねない。案外、避妊は三条の方がきちんとしてくれそうだ。

ヤルって、こんなことを毎回考えなければならないのだろうか。それとも、こんなことを考えなくても、どうにかなるものなのだろうか。

花火大会が行われる海岸通りの近くにあるショッピングセンター前で、牧瀬と待ち合わせ。先に来ていた牧瀬は、わたしを見つけると、通りまで出てきて、あたりまえのように手をつないだ。

通りには、夜店がずらりとならんでいる。

「どこか、いい場所知ってる？」と牧瀬。

毎年、敦子のおじさんが、堤防沿いに設置された観覧席の券をとってくれていた。そうだ…

……。

「松が浜海水浴場が穴場だって。観覧席をまっすぐいったところにある」

「へえ、あそこからも見えるんだ。じゃ、途中なんか買っていこう」

牧瀬はそう言うと、わたしの手を引き、夜店の人混みに合流していった。

海上に打ち上げられる盛大な花火を見るために、県外からも多くの人が集まるこの海岸通りをまっすぐ進むのは容易なことではない。立ち止まるな、押すな、と怒号がそこらじゅうで飛び交っている。なのに、牧瀬と歩いていると、ぶつかったり、立ち止まったりということがない。上手く流れに沿って進んでいるような気がする。

焼きそば屋のお姉さんには、大盛りね、とさわやかに、からあげ屋のおじさんには、できてね、と愛想良く声をかけ、晩ご飯を調達しながら。

「毎年来てんの？」牧瀬が言った。

「中学生になってから、ずっと」

毎年ずっと、敦子と来ていた。

今年は、少し気まずくなったからといって、敦子のことを忘れていたわけではない。だけど、通学路に花火大会のポスターが貼られているのを二人で見つけても、どちらもそれについて触れようとはしなかった。

敦子は去年、通りの人混みの中で、過呼吸を起こしてしまった。同じ中学から黎明館に行った剣道部の子たちに会ってしまったから。

敦子、久しぶり。ねえ、聞いてよ。インターハイ、あと一勝、ってとこでダメだったんだ。敦子がいたら絶対行けてたのに。なんで、黎明館こなかったのよぉ。剣道部にも入らなかったんでしょ。もったいな〜い。

どのツラさげて言ってんの！　喉元まででかけたとき、敦子が胸を押さえ、ゼイゼイしはじめ、バカを相手に文句を言ってる場合ではなくなり、ビニール袋をかぶせて応急処置をし、花火が上がる前に二人で引き返した。

彼女たちが何をしたか——。敦子は何も相談してくれず、推薦入試を断ったあと、裏サイトに悪口が書かれている、とクラスの子から聞いて初めて知った。悪口くらいでこうなるなんて、と少しあきれながら、実際にそこを見たのは、中学を卒業してケータイを買ってもらってから。

これは「悪口」なんて軽い言葉で済ませられることじゃない。

どうしてもっと早く、剣道を辞めてしまう前に、推薦入試を断ってしまう前に、気付いてあげれなかったんだろう。教えてくれた子がいたのに、ちゃんと確認しなかったんだろう。

ネット上に書き込まれた無責任な文字たちのせいで、自分を見失ってしまった敦子。そのために、わたしができること。考えて、考えて、考えた結果が——

手書きで敦子だけのために何かを書く、ということ……。だったのに。

あたしは花火も見れなくなったんだ。帰りの電車の中で敦子は泣き出し、わたしなりにがんばってなぐさめてみたけれど、由紀にはわからない、の一点張りだった。

それまでは、まさか小倉に盗まれていたとは知らず、原稿をなくしたことを悔やんでいたけれど、もし、原稿を渡せていても、何も変わらなかったのだろうな、とあきらめながら、花火の音だけ聞いていていた。

前に進むペースが遅くなる。

毎年、店を出す場所は決まっているのか、去年と同様、通りの中間地点にある、この町では有名なベビーカステラの店の前には、長蛇の列ができていた。敦子と二人でそこに並んで、今年一発目の花火は何色だろう、と賭けをする。当てた方が、熱々のベビーカステラを先に食べることができる。そんな、ささやかな思い出の場所は、敦子が過呼吸を起こした場所でもある。

甘いにおいで思い出す。去年のこと、その前のこと。

人混みが苦手なのは、わたしの方だった。人とぶつからないように歩かなければ、と思うとなかなか前に進めないのだ。

敦子は違った。牧瀬の進み方よりも、もっと爽快。

花火が上がるまでは、あっちの店を見たり、こっちの店を見たり、やっぱりさっきの店まで引き返そうとか言いながら、くねくねだらだらと歩いているのに、一発目の花火が上がった途端、わたしの手を引き、観覧席目指してダッシュするのだ。

敦子に手を引かれると、颯爽と人混みの中を通り抜けていくことができた。勘のよさや反射神経のよさがこんなところでも役に立つのか、どんなに混み合っていても、ほとんど人とぶつからなかった。

年に一度、門限から解放され、夜に出歩くことができる花火大会が、わたしはとても好きだった。

でも、敦子はそれに気付いていないはず。

肝心なことばかり、敦子は何も気付こうとしない。

わたしに世界が広いことを教えてくれたのは、敦子だったのに。

——花火が上がった。

通りを歩く人たちがみな、一瞬足を止め、空を見上げた。赤だ。

＊＊

おっさんの家は、駅から老人ホームまでのちょうど真ん中にあたるバス停から徒歩五分のところにある、古い木造二階建てアパートの一階の東端の部屋。遅くなったら困るから、って花火を見るのをあきらめて、ホームに車を戻してから一緒にバスに乗ってきた。

部屋のドアの前で待たされている。——と、おっさんは雑誌を持ってすぐに出てきた。

「返してくれるのは、いつでもいいから」

パラパラと開いてみると、何度も読んで折り目がついていたのか、いきなり「ヨルの綱渡り」のところで止まった。冒頭の一文が目に飛び込んでくる。

才能を回収するには、たった一度の跳躍で充分だった。

なんだかまた、息苦しくなってきた。一人で家まで無事にたどり着ける自信がない。

「高雄さんの家で読んで帰ってもいいですか？」

「いや、それはちょっと……」

初日の給食のときに正面に座ろうとしたときと同じ顔。

「短編といっても、一時間はかかるだろうし、それに……誤解を受けるのはこりごりなんだ」

何を言ってるんだろう。あたしは本を読みたいだけなのに。よりによって、おっさんと何か起こるわけないじゃん。

「だって、独身でしょ。それとも、彼女とかいるんですか？」

「そんな単純な問題じゃない。三五のおじさんの部屋に、十代の女の子が入れば、周りの人はどう思うと思う？　それに、失礼な言い方かもしれないけど、きみを信用しているわけじゃない。僕の部屋から出たあと、きみが家の人や警察にあらぬことを言いふらすかもしれない」

「あたし、そんなことしません」

「きみはそうかもしれない。でも、僕はきみたちくらいの子が怖いんだよ。平気な顔をして嘘をつく。ムキになって嘘をつくうちに、だんだんとそれが本当のことのように思えてきて、逆恨みする。自分のことしか考えていない子たちのせいで、大切なものを失うのは、もう、こりごりなんだ」

こんなに必死なおっさんを見るのは初めて。バス停の前にあったファミレスで読むから、あたしが読んでるあいだ、一緒にいてください」

「じゃあ、ファミレスでいいです。バス停の前にあったファミレスで読むから、あたしが読んでるあいだ、一緒にいてください」

おっさんが首をひねる。

「僕がいると、邪魔になるだけなんじゃないかな」

「そんなことないです。ごはんを食べてても、コーヒーを飲んでても、何でもいいから一緒にいてください。……怖いから。一人で読むのは怖いから。……『ヨルの綱渡り』って、あたしの友だちが書いたの」

「友だち？　って、先生のことじゃ、ないよね」

「同級生。小倉は去年の担任で、友だちが書いたのを盗作したの」

「まさか。……でも、それじゃあ、すぐにバレるよね」

「ううん。その子は何も言わなかったから。でも、一行目でわかった。あたしをモデルにして書いたんだって」

「きみがモデル？」

「あたしは小学校のときから剣道をしていて、けっこう強くて全国大会で優勝したこともあって、高校もスポーツ推薦で決まりかけてたのに、県大会の決勝で転んで、足をねんざして、みんなに嫌われて、それで全部終わり。ひどいと思わない？　友だちのはずなのに、何考えてんのかぜんぜんわかんないし、何も言ってくれないし、なのに、あたしに内緒で小説に書くなんて。それも、あたしが一番傷ついてることをネタにして。あたしは由紀があたしのことをどう思ってるのか知りたいけど、一人でそれを知るのが怖いから、お願いだから、一緒にいてください！」

涙が出てきた。

「きみの友だちが、きみをモデルにして『ヨルの綱渡り』を書いたっていうのは、本を読んだ僕としてはものすごく納得できる。……きみはものすごい勘違いをしているんじゃないかな。友だちがかわいそうだよ」

「由紀がかわいそう？」

「ちらかっていてもかまわないなら、うちに上がって読むといいよ」

おっさんは古びたドアを静かに開けてくれた。

遠くの空で花火が上がる音が連続して響く。

今年の花火大会もフィナーレを迎えたんだな。

＊

ヤル。そのために来たのに、そこまで持ち込むのは、思っていたより簡単ではなかった。砂浜に並んで座り、花火を見ているあいだ、牧瀬は「リヤカーなきK村」だとか、くだらない話をしてきた。なるほど、炎色反応はこうやって覚えるのか、とバカバカしい語呂合わせに感心もしたけれど。

花火が終わってもこの調子、というのはどうなのだろう。

受験予定の大学をいくつかあげ、親は国立に行けって言ってるけど、イメージ的になんかダサいよな、とか、そういうことをずっと一人でしゃべっている。受験生のくせに切羽詰まった様子はまったくなく、全部受かることが前提で、どこに行ってやろうか、といった口っぷりだ。

余程かしこいのか、超前向きなバカなのか、よくわからない。多分、後者だ。

敦子が貸してくれる、くだらない雑誌に書かれていることを真に受けて、高校生男子を誤解していたのかもしれない。どうせみんなガツガツしていてヤルことしか考えていないはずだから、浴衣を着て、あまり人のいない暗いところに行けば、自動的にそういうことになるだろう。そう思っていたわたしが甘かったのか。

牧瀬のバカ話につきあっているうちに、花火が上がっているあいだはかなり混んでいた砂浜も、少し離れたところに、カップルがポツポツといるくらいになった。

帰ろうかな。場所をかえるだけかもしれないけれど、まわりのカップルたちも帰りはじめ、これ以上ここにいても無駄なような気がする。

牧瀬も帰っていくカップルを目でおっている。——と、目が合った。

「今日って、なんか、いつもと雰囲気違わない？」

「そう、かな？」

これは、いい感じの展開だ。二人きりになるのを牧瀬も待っていたのだ。

「浴衣、だからかな」

着たくもない浴衣を着てきたかいがようやくあった。

「いや、そういうのじゃなくて。いつもは、一緒にいるのにそこにいないような雰囲気なのに、今日はなんか、地に足ついてるっていうか、そんな感じ。なんか、残念」

残念？　いったいどういうことだろう。

「前会ったとき、死体を見たことがあるか、って訊いてきたじゃん。それ聞いて、やっぱりなって思ったんだよ。最初に見たとき、この子は同じかもしれない、って声かけたんだけど、やっぱ大正解って」

「何が、同じなの？」

「ズバリ！　人が死ぬとこ見たい、って思ってない？　俺の自殺おやじの話聞いて、チョーうらやましいって思わなかった？」

「……それ、は」

「当たり？　だろだろ。この気持ちは一度経験したヤツにしかわかんないよな。俺、けっこう楽しく過ごしてたのにさ、おっさんの自殺見て以来、刺激がないっていうか、つまんなくって……。日本中あちこちで毎日のように殺人事件が起こってるし、年間三万人が自殺してるってのに、なんで俺のまわりってこんなに平和なんだろって。――あー、人が死ぬとこ見てえ」

「……」

「って普通、人前で言えないじゃん。なのに、由紀には言える。すごくない？　俺さ、死ぬとこ見るために、『死の預言書』っていう裏サイトまで開いたんだ。この辺の学校裏サイトからだけ行けるようにしてさ」

「そんなことして、大丈夫なの？　警察につかまったりしない？」

「しないしない。だって、何にも起こってないもん。初めはさ、バンバン、自殺予告とか殺人予告とか書き込まれて、時間と場所が書かれてるのなんか、張り切って見に行ったりしたんだよ。なのに、全部空振り。所詮ネットなんて仮想空間なんだよな。無責任なこと書いてストレス解消させてやってるようなもんかもしれないから、そろそろ閉鎖しようと思ってるんだけど」

「仮想空間なんて、やっぱり、そんなもんなんだ」

「そうなんだよ……っつか、見てない？　ここ数日のあいだで」

「何を？」

「もちろん、誰かが死ぬとこ。だから、今日の由紀はいつもより、くっきりはっきりしてるんだ、きっと。ねえ、教えてよ。どんなのだったか。お礼に今度、いいもの見せてあげるから」

「いいものって、何?」

「紙吹雪。おっさんが自殺の前に撒いたって言っただろ。あれ。記念に拾っておいたんだ。手のひらに落ちたのとか、血が付いたのとか、いっぱいあるからさ。——ああ、今日持ってくりゃよかった」

図書館では、死について常識らしいことを語っていたのに、どうなっているのだろう。多分、こっちが本性だ。

——牧瀬はヤバい。

でも、使えるかもしれない。

＊＊

おっさんの部屋は言うほどちらかっていなかった。ちらかるほどの家具や生活用品も見あたらない。間取りは、小さな玄関スペースと、コンロがひとつだけあるキッチンというよりは流し台スペース、六畳の和室、ふすまで仕切られた向こう側には多分もう一部屋ありそう。狭いけど、一人で住むならこれで充分なのかもしれない。

あたしは小さなテレビとカラーボックスと机と座布団が二つあるだけの六畳の和室で、雑誌を読ませてもらうことになった。何もないけど、って買い置きしていたらしい冷たい缶コーヒーを缶のまま出してくれた。おっさんは「僕も読書につきあうよ」と言ってあたしが読んでいるあいだ、同じ雑誌の最新号を読んでいた。表紙には「新鋭作家、夢の競演」ってあって、小倉がいつも自慢していた友だち二人の名前が大きく書かれていた。

普段、あんまり本を読んだことがないせいか、同じ文を何度も繰り返したり、前に戻ったりしながら読んだり、ここは小倉が書き直したのかも、って思うような読みにくい文章があったりで、なかなか先に進めない。終電、間に合わないかも。ママにメールを送っとかなきゃ。

読むと、プリントにあった冒頭部分は、主人公が親友に送った詩だということがわかった。全体の内容は、才能があるのに剣道を辞めてしまった主人公と、剣道が好きなのにケガで辞めざるを得なくなった親友との葛藤。というよりは、ないものねだりでイライラしたり、疑心暗鬼になっているくせに、相手のことばかりを心配している二人の姿を、軽いかんじで書いているというものだった。でも、最後はお互い分かり合って、冒頭の詩の続きにつながる。

だんだんラストが近づいてきた。

途中から涙がぼろぼろと流れて、止まらなくなってしまった。最後の一行で、さらに涙が溢れて、雑誌を置いて、両手の甲で必死にぬぐっていると、横からティッシュの箱が差し出された。

「こんな小説を書いてくれる友だちがいるなんて、うらやましいよ」

おっさんが言った。感動したのは確かだけど、これを多くの人が読んだって思ったら、利用された感はぬぐえない。二人のことを書いているのに、一人だけ有名になって、どこか遠いところへ行こうとしてるみたい、って。

「ネタにされただけじゃん」

「友だちは作家になりたがってるの？」

「わからない。将来のことなんか、話したことないもん」

「普段からいろいろ書いてた？」

「ううん。多分、書いたのは、あのときだけだと思う。ペンだこできてたから」

「手書きなの？」

「だって、由紀はパソコン持ってないもん」

「いまどき珍しいね。そうか、手書きか……」

おっさんは感心したように「手書き」を繰り返した。

「原稿用紙百枚くらいかな。作家になりたいわけじゃないのに、手書きでそれだけ書くなんて、大変だったと思うよ。本当にきみを励ましたかったんじゃないかな。もしかして、どこにも応募せずに、きみにプレゼントするつもりだったのかもしれない」

そんなことは考えてもみなかった。あたしだけのために書いた？

「じゃあ、そんな手間なんかかけなくても、直接言ってくれればよかったのに」

「何て？」

「それは……」

「ネット上に悪口を書かれたからって、死ぬわけじゃあるまいし、世界が終わったような気分でいるのはおかしいよ。自分は価値のない人間だと思い込んで、周囲に同調することばかりに気を取られているから、さらに孤独だと感じるようになるんだ。本当は、きみはみんなに支えられているのに」

「おっさんがわかったようなこと言わないでよ。おっさんみたいに鈍感な人に、あたしの気持ちなんてわかりっこない」

「ほらね。直接言うと、そう返ってきちゃうんだよ。友だちにも、そう言ったことあるんじゃないか？　だから、きみに伝える方法を必死に考えて、これを書いた。普通は、わかりっこない、なんて言われたら、腹立って見捨ててやりたくなりそうなんだけどね」

「……」

わかりっこない、って何度も言ったような気がする。高校の入学式のときにも言った。黎明館から推薦がきたとき、由紀に「黎明館に一緒に行こう」って言ったことがある。由紀なら一般入試で合格できるはずだったから。でも、由紀は「それはムリ」って言った。おばあさんも、お母さんも桜宮高の卒業生で、二人が通っていた当時は伝統と格式があって、偏差値もそこそここ高かったかもしれないけど、今はまったく違うんだ、って言っても聞いてもらえない、って。

仕方がない、って言ってた。

そんな由紀に、わかりっこないとか、こんなところに来たくなかったとか、あたしは言ってたんだ。

「さっき、僕が言ったのは、本心じゃない。それほどきみのことを知らないしね。小説を要約しただけだよ。僕の言葉には怒ったのに、きみは小説を読みながら涙を流していた。作者はどんな展開で、どんな言葉をつかえばきみに伝わるか、ものすごく考えて書いたんだって改めて思うよ。いい作品だけど、これを読んで泣けるのはきみくらいじゃないかな」

また、泣けてきた。もしも、由紀に直接「ヨルの綱渡り」を渡されて読んでいても、これは由紀の本心じゃなくて、調子のいい言葉を並べているだけ、って思ったかもしれない。由紀の本心を知りたいと思ってたけど、耳をふさいでいたのはあたしのほうだったのかもしれない。

おっさんが一緒にいてくれてよかった。

「きみが読む前に盗作されて、誤解を受けたんじゃ、友だちもくやしかっただろうね。訴えたりとか本当にしなかったの?」

「ううん。そんなことしない」

「そうか。そんな女子高生もいるんだね。——さ、明日も仕事だ。僕はここで寝るから、隣の寝室を使うといいよ」

そう言っておっさんは立ち上がり、隣の部屋へのふすまを開けてくれた。三千円くらいで買えそうなシングルサイズのパイプベッドがある。

「じゃあ、お借りします。おやすみなさい」

一人で、隣の部屋を使わせてもらうことにした。

最後におっさんに盗作のことを言われて、小倉のことを思い出さなければ、あたしはおっさんに「一緒に寝たい」って言ってたんじゃないかと思う。それがただ腕枕をしてもらいたいだけなのか、最後までいっていいということなのか、自分でもよくわからなかったけど、一人で寝ることになれば、もうどっちでもいいような気がする。

おっさんとあたしが関係を持つと、小倉とセーラちゃんと同じことになるんだ。たとえ、教師と生徒じゃなくても、社会的な障害を乗り越えてまで好きになろうとは思えない。

寝返りをうつと、枕の下でカサッと小さな音がした。

枕を外して見ると、写真だった。こんなところに入れるなんて、何かのおまじないかな。写真には小学生くらいのかわいらしい男の子が一人で写っているけど、豆電球の明かりだけじゃ、おっさんに似ているのかどうかまではわからなかった。

八月三日（月）

＊

午後八時、三条が指定したモデルハウスに到着した。インターフォンを押す。開いているから入っておいで、とスピーカーから声が聞こえてきた。誰なのか訊ねられなかったということは、カメラ付きなのだろう。最近はだいたいそうか。どの辺りまで写るのだろう。

鍵はかかっていなかった。玄関ホールはこのあいだの展示場と同じ、御影石の一枚板だ。右手前の部屋から三条がでてきた。かなり怪訝《けげん》な顔になる。

「こんばんは。小倉です」偽名を名乗る。

「こんばんは。中田です」牧瀬も偽名を名乗る。

花火大会の夜、人が死ぬところを見たいという牧瀬に、もうすぐ死にそうな男の子がいるという話をした。牧瀬に打ち明けてしまうのはどうかと思ったけれど、時間のないこの計画を、自分のリスクを最小限にとどめて成功させるには、これが一番いいのではないか、と思ったのだ。

案の定、牧瀬は話に乗ってきた。死の瞬間を見たことのある牧瀬にしか頼めない、と言うと、作戦は俺にまかせて、とやる気満々な調子で言われた。

夕方、夢の台付近のファストフードで待ち合わせをし、例の紙吹雪を見せてもらってから、ここに来た。

こっそりついてきてくれて、いざとなったら助けてくれるのかと思っていたら、最初から一緒に行くと言われ、こうやって、二人並んで玄関から入ってきたけれど、牧瀬はどうするつもりなのだろう。

けんか腰な態度をとって、意固地になられるとやっかいだから、お互い言葉使いには気をつけよう、と言われただけ。

「本の読み聞かせグループ、小鳩会の仲間です。僕も、もうすぐ難しい手術をうける男の子の願いを叶えてあげたいと思い、一緒にお願いにまいりました」

牧瀬は、怪訝な顔をしている三条に向かい、礼儀正しく頭を下げた。

「まあ、いい。こっちへ入りなさい」

右手に曲がると、リビングルームだった。天井は吹き抜けで、二階の部屋の窓から、この部屋が見下ろせるようになっている。奥に、ダイニング、キッチンと続き、微妙なカーブがオシャレな、木製のダイニングテーブルの上には、紙袋と洗面器とバケツが置いてある。

ここにも、このあいだの展示場と同じような、柔らかそうな革張りの三人がけのソファと一人がけのソファが、ガラステーブルを挟むように、L字型に置かれている。三人がけの正面の壁にテレビを置くと、家族みんなで団欒しながら観るのにちょうどよさそう。

三条は一人がけのソファにゆったりと座って足を組んでいる。まるで、自分の家のよう。

「きみたちも座りなさい」と言われてから、牧瀬と並んで座った。

「小倉さん」三条が口を開く。わたしのことだ。

「きみはこんなふうに考えたんじゃないかな。——夜に中年おやじが女の子を呼び出した。あいつは秘密を教えるかわりにいやらしいことを要求してくるに違いない。だから、彼氏についてきてもらおう」

その通りなので黙っていると、三条は大袈裟にあきれるようなため息をついた。

「きみたちくらいのガキが考えてることなんて、すぐにわかる。バカで単純なくせに、自分が思っていることこそが、世の中のルールだと思い込んでいるからだ」

きみたち、とひとまとめにされるのは不本意だけれど、三条の言っていることは、普段わたしがクラスの子たちに対して思っていることだから、黙って聞いておく。

牧瀬も、何やら神妙な顔をして聞いている。

「例えば——中年男は不潔でいやらしい。自分の父親に対してもだ。洗濯はいっしょにしないでくれ。風呂は自分のあとから入ってくれ。鍋は二つ用意してくれ。——いったい、誰のおかげで生きていると思ってるんだ」

三条は最後、吐き捨てるように言った。これでは、自分が家でこんなふうに扱われています、と暴露しているようなものだ。

「僕の言うことを二・三聞いてくれたら、居場所を教えてあげる約束だったね。残念ながら、きみの体になんか、まったく興味ない。自分にそれほどの価値があると思い込んでいるのかい？　若いっていうだけで、それ以上の価値なんかなにもないじゃないか」

少しむかついた。あんたには何か価値があるのか。

「こんな時間に、男と二人のこのこ出てきて、親はいったいどういう教育をしているんだ」

三条はあきれたような顔でわたしと牧瀬とを交互に見る。こんな時間に、あんたが呼び出したんじゃないか。

「せっかく二人で来たのだから、二人でやればいい」

三条はにやりと笑った。こいつの表情の変化はどれも芝居がかっている。イメージトレーニングをしながら、目の前に説教できる高校生があらわれるのを、ずっと前から待ちわびていたかのようだ。

「まずは、小倉さん。きみはダイニングテーブルの袋の中のものを、キッチンの流しで洗いなさい。丁寧に、手洗いでだ。――さあ、やりなさい」

洗い物？　何、それ。何か、恐ろしいものでも入っているのだろうか。三条の意図は計りかねたけれど、立ち上がり、テーブルに向かった。

口の部分を折り曲げた紙袋をゆっくりと開けてみる。——なんだ？　この、なんともいえない臭いは。納豆とチーズと干物を混ぜた臭い。おじさんの臭い、加齢臭だ。

袋の中には、安っぽくくたびれたブリーフや靴下が三日分ほど入っていた。三条が身につけていたのか？　前回会ったときから、毎日ためていたのかもしれない。

これを手で洗う？　一応、ゴム手袋を探してみたけれど、どこにも見あたらない。

「全部、そこのバケツの中に移すんだ」

袋の横には水色のポリバケツが置いてある。これに移し替えればいいのか。素手のまま、右手で袋の中のものをバケツに入れていった。

「両手でやれ」

仕方なく、両手を袋に入れ、まとめていくつかの洗濯物を持ち上げたけれど……、落としてしまった。

「ほうら、やっぱりだ」

三条が立ち上がり、勝ち誇ったような顔で近づいてくる。

「汚くてさわりたくもないか。ええ？　おやじが身につけたというだけで、そんなにも汚いか！」

痛っ……。右肩を思いきりこづかれた。机にぶつかり、バケツが落ちる。ツヤのある焦げ茶色のフローリングの上に、ブリーフや靴下が散らばった。

「暴力はやめてください」牧瀬が立ち上がった。

暴力というほどではないけれど。わたしをかばうように、三条の前に立ってくれる。

「誤解です。彼女は左手が不自由なんです」

「はっ、おまえたちはいつもそうだ。都合が悪くなればすぐに言い訳をする。それも、嘘をついてだ。――障害者？　調子のいいこと言いやがって。どこまで社会を見下せば気がすむんだ。――なら、おまえが先にしろ」

三条は牧瀬を見上げながら睨み付けた。

牧瀬は無表情のまま、三条を見返している。何を考えているのだろう。ここでこじれてしまっては、計画が台無しになってしまう。

「待って、洗うから」二人のあいだに入る。「わたし、洗います。――こんなの、全然、余裕なんで」

床にちらばった洗濯物を素手で拾い、バケツに入れ、キッチンの流しへと向かった。新品の洗剤の箱まで用意されている。たったこれだけのものを洗うだけなのに。

もったいない！　……ものさしを振り回す音が聞こえてきそうだ。

流しからは、湯が出てきた。洗剤を入れて、洗濯物どうしをごしごしとこすり合わせる。

正直、この要求には驚いた。でも、痴呆のおばあちゃんの後始末をすることを思えば、簡単なことだ。すごい臭いはするけれど、排泄物がついているわけではないのだから。

「そうそう、しっかり洗うんだぞ」

三条がえらそうに横からのぞき込んできても、まったくの他人だから、クリーニング屋でアルバイトをしていると思えば、屈辱的な気持ちにもならない。こんなことをさせて、何が嬉しいのだろう。

バカじゃないの？

「おじさんのご両親は、介護とか受けられてますか？」

「ああ？　介護？　そんなもんはヒマなヤツらにやらせとけばいいんだ」

「誰か同居してくれてるんですか？」

「兄貴の一家がな。こっちは月に三万も振り込んでやってるのに、たまには代わってくれとか、ふざけたこといいやがって」

こいつ、最低……。

「そうだ、いいことを思いついたぞ。――おまえのも一緒に洗え」

「え？」

「俺のパンツとおまえのパンティを一緒に洗うんだ」

要求がエスカレートしてきた。いったい、何様のつもりでいるのだろう。

「そんなの、イヤです」

「はっ、やっぱりおまえもそうか。病気の少年の願いを叶えてやりたいんじゃないのか？　——ホラ、早く脱げ」

三条がスカートのすそをまくりあげようとする。

「ちょっと、やめて……」

「そのくらいにしておいた方がいいんじゃないの？」

牧瀬だ。キッチンの片隅で、手伝いもせずにボーッと見てるだけか、と思っていたら、ようやく助け船を出してくれた。

「なんだ、おまえ。えらそうに。それなら、今度はおまえがやれ」

三条が牧瀬に言った。

「ここに正座しろ。三つ指ついて、ご主人様今日もおつとめご苦労様でした、と言うんだ。それから、テーブルの洗面器を持ってきて、そこの湯を入れて、俺の足を洗え」

よくそんなことを思いつけたものだ。

牧瀬の眉が微妙に動き、一瞬だけ、ものすごく不快そうな顔をした。

「そうしなければ、教えてもらえないんですか」

言葉使いは丁寧なまま。三条はそれに気付いた様子もなく、胸をのけぞらす。

「そうだ。ものには頼み方というのがある。礼儀知らずなおまえたちには、まず礼儀を叩き込んでやらなきゃならない。彼女はとりあえずわかってきたようだから、教えてやるかどうかは、おまえの態度次第だ。——っ」

後ろに倒れそうなくらいのけぞっていた三条が、脇腹をおさえてうずくまった。

牧瀬が蹴りを入れたのだ。

「け、警察を呼ぶぞ」

「どう言って？」

「暴行だ。おまえがやったことは、暴力行為だ」

「じゃあ、こっちは脅迫で訴えるよ。ほら」

牧瀬がポケットから、小型レコーダーを取り出した。ケータイの半分くらいのサイズ。

「予備校で使ってんだけど、これ、結構、性能いいんだよね。ここに来てからの会話は全部録音してあるんだ。おじさんは何か証拠があるの？」

録音、していたんだ。

言葉使いに気をつけて、や、病気の少年の願いを叶えるために、や、暴力はやめてください、の意味がやっとわかった。

黙り込んでしまった三条に牧瀬がさわやかな笑顔を向けた。

「おじさんは、セックスしなけりゃ犯罪じゃないと思ってるでしょ。でもさ、こっちの方がよっぽどド変態プレイだと俺は思うね。おじさんには高校生の子ども、多分、娘がいるんじゃないの？　で、家で人間扱いされていないわけだ。その腹いせに、頼み事をしてきた高校生を脅迫して、欲求不満を解消する。立派な犯罪だよ。このあたりで、反省してさ、教えてくれてもいいんじゃないの」

「誰が、教えてやるか」

三条が牧瀬を睨み付けた。

「俺は教育をほどこしてやってるだけだ。少し脅せば大人は言うことをきくと思っていると大間違いだぞ！ ……っ」

二度目の蹴りも、ものすごく上手く脇腹にヒットした。ものさしを振り回していたおばあちゃんはいつも泣いていたのに、なんで牧瀬は笑いながら暴力を振るえるんだろう。

「けっこう、耐えて下手に出てやってるんだけどな。それに、証拠の品は一つだけじゃないし」

牧瀬は反対側のポケットからケータイを取り出し、開いて操作すると、三条の目の前に突きつけた。わたしも横から覗いてみる。

動画の再生？ ホラ、早く脱げ。わたしのスカートをまくりあげようとする三条。

脇腹を押さえたままの三条が目を見開いている。

「充分、変態親父だってわかるよね。――じゃ、最初の送信」

ポケットに入れてある、わたしのケータイが鳴った。

「おじさん、次、誰に送る？ っつか、これ、俺のケータイじゃないんだよね。テーブルに置いてたのをちょっと借りたんだけど、こういうときはちゃんと持っとかなきゃ、ヘンなことに利用されちゃうよ。おじさんの名前……へえ、滝沢ってんだ。プロフィールも送っとこっか」

また、わたしのケータイが鳴った。

「由紀まで怖い顔すんなって。はいはい、発信履歴、削除。職場の人に送るってのもいいけど、それよか、これ、おじさんの娘に送るってのはどう？　人間扱いされてなくても、さすがにメルアドくらいはこの中入ってるだろうし」

「まて！」

三条は力なくうなだれ、ぼろぼろと涙を流し始めた。

「――教えるよ」

「最初からそう言えばよかったのに。なら今頃三人で楽しくファミレスでメシでも食ってたかもしんない。ピザでも頼んでみんなでシェアしてさ。いい年した大人が意地張って子どもの上に立とうとするから、おじさんの子どもも反発するんじゃないの？　――で、昴くんだっけ？その子の父親のケータイ番号は？」

「知らない」

「はあ？　往生際悪すぎだよ、おじさん」

牧瀬がケータイをパカパカと開いたり閉じたりしながら言う。

「本当だ。知ってるのは、そいつが働いている、老人ホームだけだ」

老人ホーム？　そんなところに再就職していたのか。市内に確か三カ所、どこだろう。

「それにしても……、手術を受けるからって、痴漢でつかまったおやじに会いたいとは、子どももけなげなもんだな」

三条が吐き捨てるように言った。

「痴漢？」

お父さんが原因で離婚した、とは言っていた。痴漢。確かに自分のダンナがそんなことして警察につかまったら、離婚を考えるだろうな。職場だって、住宅メーカーの営業なんて信用第一だと思うから、解雇されるのもあたりまえかもしれない。

でも、それを昴くんは知らされているのだろうか。

知っていれば、そんな父親に会いたいと思うだろうか。もし、わたしなら……、絶対に会いたくない。死の間際にいたとしても、会いたいとは思わない。母が離婚してくれれば縁も切れると思うけれど、許したりしたら最悪だ。

痴漢の子どもだということは一生ついてまわるのだから。

おばあちゃんが痴呆症、の方がまだマシかも。いや、微妙なところだ。

「あんたは、それよりたちの悪いことをしたんじゃないの？」

牧瀬がそう言うと、三条はまたもやうなだれた。

こんな父親、絶対にイヤ。

お父さん……給料が少なくてもいい、頼むからおかしなことはしないでほしい。うちの父には一生手に入れられそうにない高級な家の中を見渡す。吹き抜けだからどうしたというのだ。御影石だからどうしたというのだ。こんな最低おやじのいる家など、どれほどの価値もない。

**

もうすぐ明日がやってくる。

花火大会の翌朝。おっさんの部屋を一緒に出て、お互い反対方向のバスに乗るために道路を挟んでバス停に立って、先にあたしがバスに乗っておっさんの姿が見えなくなったとたん、きゅっと胸が痛くなった。

「これはきみが持っておくといいよ」おっさんにもらった「ヨルの綱渡り」が載っている雑誌を、一日中、何度も繰り返し読んだ。

部屋にこもりっきりのあたしのために、昼はママがサンドイッチを作ってくれた。あたしが好きな生ハムとチーズ、それから、マッシュポテトに明太子を混ぜたタラモサラダの二種類。どうしてコンビニにこのサンドイッチが置いてないんだろう、と由紀に言ったら、自分で考えれば、って言われたことがある。

夜はパパの行きつけのお寿司屋さんに、家族三人で行った。毎日、老人ホームの給食を我慢して食べているんだから好きなネタを注文してもいい、って言われて、大好きなウニの軍艦巻きをおなかいっぱい食べた。

家に帰ってからも、三人でコーヒーを飲みながら、もらいもののロールケーキを切り分けて食べた。老人ホームのことを訊かれて、みんな親切にしてくれる、って答えた。遠くで静かに見る花火もよかった、って報告した。

前から読みたかった本を、いつもお世話になっている職員の人が持っていて、それを譲ってもらって、今日は一日中読んでいた、って言ったら、パパもママもそれを読んでみたいと言った。

敦子が感動するくらいだから、よっぽどいい話なんだろう。

昔、家で日本昔話全集のビデオを観ていても、由紀ちゃんがワンワン泣いている横で、敦子は退屈そうな顔をしていたよな。パパが懐かしそうに言った。

我が子は人として大切な何かが欠けているんじゃないか、と心配そうにしていたパパに由紀が言ったらしい。こぶとりじいさんのいいじいさんが鬼の前で楽しく踊る場面、花さかじいさんが枯れ木に花を咲かせる場面、そういった、がんばって楽しそうにしているところで敦子は泣くんだ、と。

そんなことあったっけ？　ママに訊ねると、小さなことまでは憶えていないけど、敦子のことを昔から一番理解してくれているのは由紀ちゃんじゃないの？　って言われた。

パパやママとはいつもこうしてたくさん話をしていたはずなのに、あたしは何も気づいていなかった。

あたしは、不幸じゃない。

「ヨルの綱渡り」で由紀の言いたかったことが、ようやく少しずつわかってきたような気がする。

あんたがそれほど不幸だと言うなら、わたしとあんたの人生をそっくりそのまま入れ替えてあげる。それに抵抗があるうちは、あんたはまだ、世界一不幸ってわけじゃない。

由紀にものすごく会いたくなった。メールしようと思ったけれど、手が止まった。合わせる顔がない。

今日、おっさんが休みだったから、簡単に掃除をした後、小沢さんの手伝いをすることになった。給食の配膳の手伝いは初めてだったけど、そこで、握力が弱いとはこういうことだったのか、って思い知らされた。茶碗が持てない、汁椀が持てない、ゆっくり持ち上げてもすぐこぼす。食べ終わった食器を自分でワゴンに戻そうとしたおばあさんが、トレイごとひっくり返したのを見て、ハッとした。

学校の食堂のメニューは、きつねうどん、ラーメン、カレーライス、日替わり定食、ハンバーグドリア、この五種類。いつもはお弁当だから食堂にはたまにしか行かないけど、由紀は毎回カレーライスを食べている。ハンバーグドリアおいしいよ、ってすすめても、やっぱりカレーライスの列に並んでいる。カレーが好きなのか。そうじゃない。嫌いじゃないとは思うけど、それよりも、カレーしか運べないのだ。熱い汁物はバランスを崩すとアウトだろうし、定食とハンバーグドリアはトレイを片手で持つには重いはず。

きっと、他にもこんなことがいくつかあるんだろうな。

「由紀はいいよね。とっさに調子のいい言葉を思いつくから、みんなにいい人だって思われて。あたしなんて不器用だから、ぜんぜんダメ」

こういうことを、あたしは由紀に言わなかったっけ。

「自分を不器用だという人の大半は、気が利かないだけなんじゃないかな」

数日経って、別の子の話をしてるときに、ついでのように言ってたこの言葉は、あたしに向けられた言葉だったんだ。

おっさんに会いたい。今の気持ちをわかってくれるのは、おっさんしかいないような気がする。今週いっぱいでホームの活動は終わりだけど、おっさんとはその後も会いたい。二学期になって学校が始まると、また不安なことがたくさん起こるかもしれない。そんなこともおっさんに聞いてもらいたい。

でも、明日、おっさんは殺される。

狙っているのは、やっぱり？

そんなのダメ。死を悟りたいとは思ったけど、由紀がおっさんを殺すところなんて絶対に見たくない。そんなことになったら、あたしは今度こそ一生立ち直れなくなるはず。

阻止しなきゃ。

由紀におっさんはいい人だとメールしようか。由紀の小説をほめていたと教えてあげようか。……ダメ。あたしの貧困なボキャブラリーじゃ、由紀を説得することなんてムリ。あたしが由紀を阻止できるのは、腕力でだけ。由紀よりもおっさんの近くにいなきゃいけない。

でも、ホントに由紀なのかな。由紀はパソコンを持っていない。ケータイから「死の預言書」のサイトに上手くたどりついたとして、あんなところに殺人予告なんて書き込むかな……。

おっさんを殺したいほど憎んでいる人が他にいるかもしれない。誰だろう。老人ホームの人たち？　まさか。でも、あたしはおっさんが〈シルバーシャトー〉で働いてるってこと以外何も知らない。バツイチって小沢さんは言ってたけど、それが何か関係するのかな。

とにかく、おっさんが死ぬなんて絶対にイヤ。

あと一時間で明日。終電には、間に合う。

＊

建設中の家が多く外灯がほとんどない、夜の新興住宅地を牧瀬と歩く。

これで、昴くんにお父さんと会わせてあげることができる。

「〈シルバーシャトー〉、というところだ」と三条は言った。

「何それ、老人ホーム？　ラブホじゃないの？」

疑う牧瀬に、そういうホームが実在することを告げ、「何だ、知ってんの？　じゃあ、オッケーだな」と二人でモデルルームを後にした。

牧瀬はいらなかったな。足を洗え、は確かにひどい要求だけど、やっていれば、あんな脅迫まがいなことをしなくても、三条はちゃんと教えてくれたんじゃないだろうか。

「よかったよ。どうにかできて」

さわやかな口調だけど、恩着せがましい言い方にむかつく。

「老人ホームに親父を迎えに行って、病院で感動の対面をさせて、成功率七パーセントの手術を見届ける。手術の前に『お姉ちゃんありがとう』なんて言われたら最高だよな。——ホント、悪趣味。で、手術、いつ？」

「明後日、水曜日」

「うそ、そんな切羽詰まってたの？　ってことは、ご対面は明日？　俺、模試の日じゃん」

「……あ、そう、そうなの？　残念」

模試の日だと知っていたから、頼んだのだ。

「いいけど、なんか、俺だけ、なんのお得感もないよな。自分だけソンするって、そういうのが一番嫌いなんだよね。――今度、いつ会えるかわかんないし、今日、ヤッとこか」

「ヤルって……」

「他人を利用する場合、多少のリスクは覚悟しなければならない。または、運命の彼と初めて結ばれた十七歳、夏の夜」

「なに、それ……」

「ここと か、どう?」ブルーシートで囲まれた、建設中の家を指さす。

ここでヤルつもりなのか?

三条から昴くんのお父さんの居場所も聞き出せたし、今さら牧瀬とヤッても何のメリットもない。逃げて帰ろうか。でも、つかまったら、何されるかわからないし、三条のようにはなりたくない。

「最期まで見届けたら、ちゃんと報告するし、――今度、すごいこと教えてあげる」

「何? すごいことって」

「紙吹雪、の秘密」

え? マジ? マジ? 余程紙吹雪に固執しているのか、あっさりと納得したようだ。昴くんの死の瞬間については、最初から、成功したら牧瀬に自慢してやろうと思っていたから、問題はない。

わたしはどんな言葉で語るのだろう。

それは、明日次第だ。

＊＊

深夜十二時をまわっていきなりやってきたあたしに、おっさんは露骨に迷惑そうな顔を見せた。あたしのこと全部おっさんに理解してもらえた、って思ってたのに、気のせいだったのかな。

もしかして、おっさんにはつきあっている女の人がいて、このあいだあたしを家に泊めたことがバレて、ケンカにでもなってしまったんだろうか。バレてなくても、そういう人がいれば、こんな時間にあたしが来るのは迷惑かもしれない。

でも、そういう目的で来たんじゃない。おっさんのことは好きだけど、一緒にいたいからここに来たんじゃなくて、おっさんが殺されるのを阻止したい——おっさんを守りたいからここに来たのだ。

嫌われてもいい。なにがなんでも、おっさんのそばにいなければ……。

「アイスを買ってきたんだけど」

迷惑そうな顔には気づかないフリをして、散歩の途中にちょっと立ち寄ったって感じで、アイスの入ったコンビニの袋をおっさんの手に持たせた。

「前も言ったと思うけど、困るんだよ」

「じゃあ、困る理由がちゃんとわかるように、あたしにおっさんのことを教えて」

「は？」

「あたしは自分のことをおっさんにいっぱい話したのに、おっさんは何も話してくれてないじゃない。そういうのってズルいと思う。なんていうか、その……なんでバツイチなのかとか、そういうこと考えてたら眠れなくて。もう終電もないし、お願い。中に入れて」

メチャクチャなことを言っていることくらい自分でもわかってる。由紀ならもっと上手に言えるはず。おっさんが死んじゃう夢を見て、怖くて怖くて、気づいたらここに来てしまってたの、なんて。

おっさんは、やれやれといった感じで、中に入れてくれた。

のどが渇いていたから、ずうずうしいついでに、また缶コーヒーをもらうことにした。おっさんがアイスを冷蔵庫に入れて、缶コーヒーを二本持ってきてくれる。

「なんでバツイチかって、訊きにきたの？」

おっさんはプルトップに指をかけながら、いきなり本題に入った。あたしに対してものすごくあきれているのか、なんだかもうどうでもいいといった投げやりな様子。

「痴漢の逮捕歴があるからだよ。小沢さんたちに忠告されなかった？」

「気をつけて、とは……」

小沢さんの「気をつけて」は痴漢のことだったのか。それにしても、おっさんが痴漢をするなんて。そんな器用なことできるのかな。……そうだ。

「痴漢の被害者の人に、おっさん恨まれてない？」

おっさんは大きくため息をついた。「帰れ」オーラが発散されているような気がする。でも、これでひるんじゃダメだ。

「ない。恨みたいのはこっちだよ」

「なんで？」

「やってないからさ」

これって、少し前によく起こってた、痴漢冤罪事件？　こんな田舎町でもあるなんて。でも、本当にそうなのかな。あたしは徒歩通学だから大丈夫だけど、電車通学の子のほとんどは痴漢にあったことがあるって言ってる。冤罪事件が大きく取り上げられるようになってからは、勇気を出して告発したのに、信じてもらえなかったってくやしがってた子だっている。

でも、おっさんは信じてあげたい。

「警察にちゃんと言ったの？」

「言ったよ。何百回も言った。でも、それが無駄だってわかってるから、きみたち高校生くらいの女の子は小遣いほしさに、大人をはめるんじゃないの？」

おっさんに避けられていた理由がようやくわかった。あと、今でもあたしはおっさんの憎むべき女子高生の一人として分類されていることも。

「きみたちって言われたくない。あたしがそんなことするように見える？」

「痴漢にあったと嘘をついた子はもっと真面目そうな子だったよ。このあたりじゃ有名な進学校の制服を着ていたし」

「でも、あたしは一緒に仕事だってしてるのに」

「現に、用もないのに突然夜中に押しかけてきている。ここで悲鳴をあげても払えるお金なんてないからね」

「だから、しないって。そんなやつあたりするんなら、もっと裁判とかでがんばればよかったのに」

「そんな場合じゃなかったんだよ。子どもの病気がたいへんなものだとわかって、そんなおかしなことに時間をかけている場合じゃなかったんだ。金で解決できるっていうから、認めたんだ。妻も会社も信じてくれると思ってたのに、どっちも信じてくれなかった。妻とは離婚、会社はクビ。——これで、満足した？」

おっさんには子どもがいたのか。それも病気の。奥さんも離婚している場合じゃないだろう。いや、逆か。子どもは病気、ダンナは痴漢、そのうえ会社はクビ、あたしなら目の前真っ暗…

…。おっさんには何かすがるものはないのかな。たとえば。

「子どもは？」

「会わせてもらえない」

「病院へは」

「行けない。会いに行ったら、誘拐未遂で訴えるんだってさ。それに、子どもだって痴漢の親父になんか会いたくないだろ」

「寂しくない？」

おっさんが目を伏せた。缶コーヒーを飲み干す。

「……先週の人形劇、息子が入院している病院にも行ってるらしいんだ。準備のときに小鳩会の人が、小学五年生の男の子も喜んでくれた、って言ってたの憶えてない？　多分、息子のことだと思うんだ。それだけで嬉しかったよ」

それで、指を挟んだのか。かわいそうすぎる。

「友だちは？」

「きみの友だちのような友だちはいない。仲直りできたの？」

「ううん。ぜんぜん連絡ないし、こっちからもしていないまま。――彼女とかは？」

「いない」

「あたしじゃ、ダメ？」

「どうしたいの？」おっさんはため息をついた。

「おっさんを守りたい。おっさんの命を狙う敵から、あたしが守ってあげる」

「は？」

おっさんが部屋を出て行った。

一瞬いい雰囲気になりかけていたと思ったのに、気のせいだったのかな。

しまった！　キッチンから声がした。行ってみると、おっさんは冷蔵庫からあたしが持ってきたカップのバニラアイスを取り出していた。蓋を開けると、どろどろになって溶けている。

「アイスは冷凍庫、だよな……」

おっさんは申し訳なさそうにそう言って、アイスのカップを流し台の上に置いた。

こんなにドンくさいから、痴漢の犯人に仕立て上げられてしまうんだ。こんなにドンくさいから、会社にも奥さんにも見捨てられてしまうんだ。こんなにドンくさいから、病気の息子の見舞いにいくこともできないんだ。こんなにドンくさいから、命を狙われるんだ。

どうして、おっさんのことなのに、こんなに悲しいんだろう。いや。

家の近くのコンビニでアイスを買ったのはあたしだ。ここまでくるのに一時間以上かかることはわかってたのに……。

「アイスなんか、どうでもいいじゃん」

おっさんに抱きついた。きつく抱きしめ返されると、おっさんもあたしを必要としてくれてるんだと思えて、涙が出てきた。おっさんのためにあたしがどうしてあげればいいのかわからないし、おっさんにどうしてほしいのかもわからない。でも、離れたくない。一晩中くっついていたい。

「一緒にいよ。……警察につかまってもいいじゃん」

その途端、おっさんの手が背中から離れてしまった。

第五章

八月四日（火）

＊

わたしはごく最近、昴くんのお父さんに会っていた。多分、おばあちゃんを助けた老人ホームの職員だ。〈シルバーシャトー〉と聞いて初めて、肉まんから聞いた「たかお」という名字と、あのときのおじさんの名札が同じだったことに気がついた。ものすごい遠回りだ。

でも、まったく顔を思い出せない。それくらい特徴のない顔のおじさんと、美しい顔の昴くんを結びつけるのは、事実を知った今でも難しい。お母さんはよほどきれいな人なのだろう。

病院の廊下で、おばあちゃんが助かったと知ったときは、本当にショックで、このおじさんも死んでしまえ、と思った。もう少し暇だったら、余計なことをしていいことをした気分になっているおじさんを、陥れる方法を考えていたかもしれない。でも、今はまったくそんなふうには思わない。むしろ、助けてくれたことに感謝をしているくらい。

あの晩、一人で冷静に考えてみた。もしも、今日おばあちゃんが、藤岡さんが持ってきたもちをのどに詰まらせて死んでいたらどんな気分だっただろう、と。最初は嬉しいかもしれない。

でも、時間が経ち、日が経つにつれ、徐々に悔しさがこみ上げてくるんじゃないだろうか。おばあちゃんがどんなに厳しい教師だったとしても、おばあちゃんに一番苦しめられたのは身内であり、同じ屋根の下で過ごしていた父と母とわたしだ。それなのに、藤岡さんなんて顔も見たことのない赤の他人にあっけなく殺されて、勝手に死なれてしまっては、今まで耐えてきた悔しさが残ってしまうじゃないか。

そのうえ、藤岡さんがもっといい子であったなら、わたしがあんな仕打ちを受けることもなかったのかもしれない。そう考えると、藤岡さんの思い通りになるのは癪にさわる。——だから、おじさんには感謝しているのだ。

おばあちゃんの死について、現時点で一番望ましい死に方は、病死だ。もう、それを待つしかない。たとえ真夜中でも、どこにいても、わたしは駆けつけるつもりでいる。そして、息を引き取る最期の瞬間に耳元でささやいてやるのだ。

因果応報、地獄に堕ちろ。

天気がいいのもあいまって、そんな想像をしていると、かなりいい気分になってきた。

朝イチで老人ホームに行こうと思っていたけれど、体が言うことを聞いてくれず、午前中いっぱいをベッドの中で、下腹を抱えて過ごした。

よりによって、こんなときに生理になるなんて。わりと規則正しい方なのに、予定より一週間も早い。こんなことをしている場合ではない。鎮痛剤を飲むと少し楽になり、昼前には、どうにか外出できそうなほどに回復した。

体が楽になると、気持ちも楽になる。今日は火曜日。あまり早く出ていたら岡ちゃんに会っていたかもしれない、と午後からのスタートを前向きに捕らえながら、家を出た。劇的な展開になりますように、と願掛けのような気分で、牧瀬に少し譲ってもらった紙吹雪の入った封筒をバッグに入れて。

冷房の利いたバスを降り、山陰になった道を歩き出す。おばあちゃんを入所させてくれたありがたい特別養護老人ホーム〈シルバーシャトー〉に行くのは初めてだ。母はおばあちゃんの面会に行くたびに、「バス停からが長いのよ」とぼやいている。なるほど、これはぼやきたくなるな。

敦子……がもし一緒にいたら、転ばないよう、ゆっくり歩くのだろうか。

転ばないように。みんなから嫌われないように。一歩一歩綱渡りをするように。

それがどんなに滑稽な姿でも、敦子自身がそれに気付いてくれるまでは……。

黙って合わせるとは思うけれど。

建物が見えてきた。〈シルバーシャトー〉と聞き、牧瀬は「ラブホかよ」と言っていたけれど、外観までそれっぽい。中世ヨーロッパのお城のようだ。これまでのやっかいな道のりを思い出すと、さながら、眠れる森の王女を助けにやってきた王子といったところか。

さあ、昴くん。お父さんを今から迎えに行くからね！

モダンな外観に似つかわしくない、透明なガラスの自動ドアの前に立つと、エントランスロビーに見覚えのあるジャージ姿が見えた。うちの学校の体操服。花の入ったバケツを持って歩いている。生徒会の子がボランティア活動で来ているのだろうか。いや。

――敦子!

どうしてこんなところに。

＊＊

八時半におっさんと一緒に出勤してきたあたしを、大沼さんはほんの少しいぶかしげな顔で見ていたけど、そんなことを気にしてる場合じゃない。もしかしたら、おっさんを狙っているのは大沼さんたちスタッフかもしれないんだから、油断できない。年寄りたちだって。

とにかく、今日は一日中、おっさんのそばにいよう。殺人予告のことはおっさんには言っていない。きっと信じてもらえないだろうし、あたしを巻き込まないために避けられても困る。

とはいえ、午前中はいつも通り、おっさんと二人で館内の掃除をしているうちに何事もなく時間が過ぎていった。給食も、「なんだか、おっさんのぶんのほうがおいしそう」とか言いながら、勇気を出して一品ずつ毒味してあげて、無事終了した。

午後からは、華道部の補助。

生花店からエントランスまで配達してもらったバケツに入った花を、多目的室まで運んで、それから、机や椅子、花器やはさみを用意しなきゃいけないのに、おっさんはエントランスに盛大に、紫色のトルコキキョウが入ったバケツをぶちまけてしまった。

ああ、おっさん……。

おっさんのタイミングの悪さでいけば、こういうときに限って、来客があるはず。ほら、誰か来た。こっちに近づいてくる人影——ピンクのTシャツにジーンズ姿、肩に〈リズ〉っぽいバッグをさげて、あれは。

——由紀だ！

どうして由紀が？　おばあさんに面会？　いや、水森さんはまだ入院中だ。それに、由紀がおばあさんに会いにくるはずがない。やっぱり、殺人予告は由紀だったのか……。

自動ドアが開く。あたしに気づいてたみたい。何か言いかけようとしたけど、エントランスの惨事に目がとまったようだ。「あっ」と声をあげて、あきれた顔であたしを見る。

違う、あたしがこぼしたんじゃない。とっさに、後ろにいたおっさんを振り返ってしまった。

由紀もそっちを見る。ハッとしたような顔をして、おっさんに近づいてきた。ヤバい。

由紀を見たおっさんは一瞬「おや？」といぶかしげな顔をして、「ああ、水森さんのお孫さん」と丁寧に頭を下げた。

ついに、ついに、くるべきときがきてしまったのか。絶望的な気分になりながらも、おっさんの横にぴたっとくっついて、由紀に笑いかけた。

「久しぶり、由紀」

「何してんの？　こんなとこで」

「体育の補習」

「……あんたとメールのやり取りくらいしていればよかった」

しらっとした顔に、吐き捨てるような口調。なんだか、懐かしささえ感じてしまう。

由紀がおっさんのほうに向き直る。

「先日は祖母を助けてくださりありがとうございました」

背筋を伸ばして、深々と頭を下げている。いきなり本題に入ってしまった。どうするつもりなんだろう。

「いえ、そんな、わざわざ……」

おっさんも頭をかきながら、ぺこりと頭を下げ返した。

「でも、今日は違うお願いがあってやってきました」

由紀は顔をあげて、おっさんをまっすぐ見つめた。違うお願い？　おっさんを殺させてください、とは言わないだろうな。

「息子さんが明日、大変な手術を受けることはご存知でしょうか」

「ええっ！　昴が！」おっさんが驚く。

あたしも驚いた。どうして由紀がおっさんの息子なんて知っているんだろう。

「お願いします。今から、一緒に病院に行って、息子さんに会ってあげてください」

「僕には、息子に会える権利なんてないんだ」おっさんが肩を落として言った。

「でも、会いたがっています。七夕の短冊に書くくらい、会いたがっています」

「まさか……。でも」

おっさんがそわそわしているのがわかる。息子のところにかけつけたくてたまらないはずだ。悩むな、悩むなおっさん。

「もう、よくわかんないけど、行ってあげなよ。枕の下に写真入れてるくらいなんだから、会いたいんでしょ」

「あ……」気づいていたのか、という顔であたしを見る。

「本当にお願いします。願いを叶えてあげたいんです」

由紀がさっきよりも深く頭を下げた。こんなに一生懸命な、体温の通った由紀を見るのは何年ぶりだろう。由紀にここまでさせるなんて。

「おっさん!」煮え切らないおっさんに腹がたった。

「じゃあ、ここの掃除をして、華道の準備が終わってから……」

力なくそう言ったけど、おっさんなりに覚悟を決めたようだ。

「そんなの、敦子にやらせておけばいいじゃないですか」

「は?」何? この、あたしを突き放すような言い方。あたしの後押しがあったからこそ、おっさんは決心したっていうのに。それに。

「ダメよ」由紀とおっさんを二人で外出させるなんてとんでもない。息子をダシに外へ連れ出そうとしているだけかもしれないし。

「こぼしたのはおっさんでしょ。ちゃんとやることをやって出て行かなきゃ。早く終わらせてほしかったら、由紀も手伝ってよ」

ちゃんと見張っておかなきゃ。

「……仕方ないな。何やるの? 道具は?」

由紀はあっさり引き受けて、花を拾い始めた。おっさんがモップを持ってくると、「じゃあ、わたしは入り口側からやるから」とすばやく移動して、水浸しの床を拭き始める。

バケツを持つことはできなかったけど、多目的室に着くと、机の配置を確認して、パイプ椅子を並べはじめた。おっさんの失敗や、由紀の訪問で時間を取られたのに、準備はかなり順調に進んでいった。でも、おっさんは相変わらずドンくさいし、息子のことで動揺しているのか、ことあるごとに、由紀にため息をつかれている。ああ、また。

「なんで、机の上に新聞を敷く前に花器を置くんですか。……なんか全然イメージ違うんですけど」

おっさんが子犬のような目でしゅんとする。そんなにきつく言わなくてもいいのに。

「実は、水森さん、きみのおばあさんを助けたのは、草野さんなんだ」

おっさんが申し訳なさそうに言った。いきなりの爆弾発言。

「おっさん！」なんてことを言うの。由紀があたしを見る。

「あの、たまたま、掃除機かけてたら、水森さんがもちをのどに詰まらせて……。あ、でも、助けようと思ったわけじゃないし、そうだ、辞世の句を、いや、それに由紀のおばあさんだって知らなくて、あの……、ごめんなさい！」

バレたからには謝るしかない。床に頭がつきそうなくらい頭を下げた。

「やめてよ。そんなことされたらうちの事情がホームの人にバレるじゃない。あと二・三日したら、またここでお世話になるのに。死ななくてよかった。感謝してる」

「え？」顔を上げた。感謝されているとは思えないけど、怒っているようにも見えない。どうなってるんだろう。つい、左手に目がいってしまう。

「いろいろ考えて、そういう結論になったの」

由紀がおっさんを見る。

「イメージ違うっていうのも、そういう意味じゃなくて、……東洋ハウスの営業で、売り上げナンバーワンになって、家族でディズニーランドに招待されるくらい、バリバリ活躍していたんじゃないんですか？」

「どうしてそれを……」

「同室の子から聞きました。息子さん、自慢していたんじゃないですか？」

おっさんは下を向いて、ぼろぼろと涙をこぼし始めた。床に涙のしずくが落ちるほどに。困った様子で由紀があたしを見た。由紀の耳元で、おっさんが痴漢の冤罪で会社をクビになったことを教えてあげる。

ホントに冤罪？　確認された。

いかにもカモにされそうじゃん、って言うと、妙に納得した様子。

「そんなめにあったら、慎重に一つずつ物事を片付けていこうとするようになるのかもしれません。周りの目がいちいち気になるのかもしれません。それであせって失敗してしまうのかもしれません。けれどこのままじゃ、どんどん自分を見失っていくだけじゃないですか。足元ばっかり見てないで、もっと遠くを見てください。おじさんを待ってる子がいるんですよ」

「……着替えてくるよ」おっさんが顔を上げて言った。

「ありがとうございます」由紀が頭を下げた。

殺人予告は由紀じゃない。由紀に話して協力してもらおうかな。でも、由紀は事情はわからないけど、おっさんの息子の願いをかなえてあげるためにがんばってる。迷惑はかけたくない。

やっぱり、おっさんはあたしが守ろう。午後二時。あと、十時間だ。

＊

S大付属病院にはあと一駅で到着する。〈シルバーシャトー〉を出たのは、三時過ぎ。「着替えてくるよ」がホームの更衣室ではなく、おじさんの自宅だったのだから仕方がない。

もう少し。もう少しで、昴くんの願いを叶えてあげることができる。「お姉さん、ありがとう」という声が聞こえてきそうだ。でも、「お姉さんたち」になったらどうしよう。

敦子がここまでついてくるのは誤算だった。

これはわたしだけの計画で、一人であんなに苦労してここまで辿り着いたのに、おいしいとこ取りされたみたいで、なんだか悔しい。

でも、弱音を吐きながら渋るおじさんを、説得してくれたのは敦子だ。それにしても、二人はどういう関係なのだろう。同じところで働いている、というだけではなさそう。親密な感じだし、枕がどうとかも言っていた。もしかして、付き合っているとか。

おっさんと呼ばれているけれど、真っ白なポロシャツにジーンズという姿になると、年上が好きな敦子の許容範囲に、ぎりぎり入らないこともなさそうな気がする。そのうえ、じめじめとした二人が、お互い悩みを打ち明け合っていれば、次第に惹かれ合うこともあるかもしれない。

だけど、付き合っているにしては、様子がおかしい。

おかしいのは敦子のほうだ。

歩行中に車が突っ込んできたら危ないから駅までタクシーで行こうとか、駅ではわたしと敦子とでおじさんを挟むかたちで階段を上がろうとか、ホームの一番前に並ぶのは危険だとか、老人ホームを出たときから、おじさんに細心の注意を払いながらここまできている。まるでボディーガードだ。臓器移植のドナーと勘違いしているのだろうか。

電車に乗ってからも、わたしと敦子とでおじさんを挟んで座っている。痴漢の冤罪のことや離婚前の家庭のことなど、おじさんについて敦子に訊きたいこともあるけれど、これでは無理。今でも敦子はじっと息をひそめ、おじさんの前に立っている大学生っぽい男の人を警戒している。電車が揺れ、男の人が少し前のめりになるコンマ一秒前に、敦子の腰が少し浮くのだ。

でも、おじさんを守る敦子の顔は、なんだかりりしい。オーバーリアクションなのはいつもと変わらないのかもしれないけれど、久々に会う敦子はどこか様子が違う。

電車を降りると、おじさんは「何か手土産を買って行く」と言い出した。

老人ホームであれだけ待たせたというのに、何を言い出すのだ、このおじさんは。早く会いたいと思わないのだろうか。鈍くさいにもほどがある。

「まあ、久々の再会で気まずいうえに、手ぶらじゃね」

敦子がおじさんをフォローする。多数決では仕方なく、駅に隣接したショッピングモールで買い物をすることにした。

でも、これがなかなか決まらない。

病院が近いためか、フルーツコーナーの前を通ると、かわいくラッピングされたフルーツの盛り合わせのカゴがいくつか並べられていた。

「こういうのが、無難かな」おじさんが足を止める。

「そうだ、りんごが入ってるのにしたらどうですか？　剝いてあげればいいじゃないですか」

我ながら、なかなかいい提案だ。最後なのだから、何か父親らしいことをしてあげれば、昴くんも喜ぶし、感動の場面もさらに盛り上がるはず。

「そういうのはちょっと苦手で……」おっさんが渋る。

また、弱気な発言だ。どうしてこんな言い方をするのだろう。子どもを喜ばせたい、と思わないのだろうか。

モール内に五時を知らせる音楽が鳴った。面会は七時までだ。我慢の限界を超えたわたしは、ぴかぴかしたりんごが真ん中に入っている、ブルーのリボンがかかった三千円のカゴをレジに持って行った。


小児科病棟のナースセンターのカウンターで、一人ずつノートに名前を記入した。おじさんも書く。肉まんにもらったメモは平仮名だったけれど、「高雄孝夫」と書くのか。ヘンな名前だけど、この名前じゃなかったら、捜し出せていなかったかもしれない。

それぞれの個室は、会社帰りの父親が立ち寄ったりしているのか、昼間よりも賑やかな感じがした。開け放したドアから笑い声がこぼれている部屋がたくさんある。でも、奥の二人部屋はドアが閉じられたままだ。

肉まんは少しイライラしながら待っているかもしれない。彼なりに何か演出を考えているかもしれないので、おじさんと敦子を廊下で待たせ、わたしだけ先に、部屋に入ることにした。

ノックして入ると、肉まんと昴くんが同時にわたしを見て、ハッとしたような顔をした。内緒話でもしていたのだろうか。

「さくらお姉さん！」昴くんが嬉しそうに声をあげた。

「こんにちは、昴くん。いよいよ明日、手術だね」

たいしたことではないように言いながら、奥の昴くんのベッドに向かう。

「さくら、頼んでいたのはどうなった？」肉まんだ。

「約束通り」振り向いて、肉まんに親指を立てて見せる。

「よし……、時間ないし、始めようぜ」

やや緊張気味に肉まんに言われ、わたしは昴くんに向き直った。

「実は、他に一緒に来ている人がいるんだ。呼んできていい？」

「えー、誰？　お姉さんの彼氏？」

ワクワクした顔で昴くんが言った。もうすぐ、もうすぐだ。

「まさか。もっとすごい人――タッチーから、昴くんへのプレゼント。ねえ、タッチー」

肉まんのことを初めてタッチーと呼んでやった。

「え？　……ああ、うん」肉まんがうつむく。

「照れるな、タッチー。じゃ、呼ぶからね」

ドアの前まで戻ると、もったいぶった感じでゆっくりと開けた。

「お入りください、お父さん」

おじさんはドアの前で呆然と立っている。その背を敦子がゆっくり押すと、おじさんは一歩中へ入り、そのまま愛する息子のもとに駆け寄った。

——ええっ？　肉まん!?

＊＊

「昴……」

おっさんは手前のベッドに体を起こして座っている男の子に駆け寄った。

おっさんの枕の下にあった写真の男の子だ。写真よりかなりぽっちゃりしているのは、病気のせいなのかもしれない。でも、たいして特徴のないパーツを組み合わせた顔は、おっさんによく似ている。

由紀はポカンとして、奥のベッドの男の子を見ている。どうしてだろう。あんなに必死になっていたのに、嬉しくないのかな。きれいな顔の男の子が、持っていたりんごを包むようにして両手を合わせて、由紀に向かってウインクした。何かの合図かな。

よかった、ここまで無事たどり着けて。守るのがこんなに大変だなんて。殺すのは覚悟を決めたら一瞬でできるかもしれない。でも、守るのは、いつそのときが訪れるのかわからないぶん、集中力が必要だ。まだ何時間か残ってるけど、ここなら大丈夫。この解放感がたまらない。

おっさんは……。

がばっと抱きついてしまえばいいのに、手をのばせば息子に触れることができる二・三歩手前のところで、遠慮がちに足を止めている。

「パパ、会いたかったよ」

昴って呼ばれたぽっちゃりくんが、にっこりと笑うと、おっさんは鼻をすすり上げて、思い出したように、手に持っていた果物カゴを差し出した。

「手術……明日なんだってな……。がんばるんだぞ」

「わあ、りんごだ。ありがとう」

昴くんは嬉しそうにカゴを受け取って、自分の枕元に置いた。

「そっちのお姉さんは誰？」

眉をひそめて、ドアの前に立ってるあたしを見る。

「えっと、ああ……わたしの友だち。ごめんね、勝手について来ちゃって」

由紀が言った。ひどい言われよう。ムッとしていると、昴くんは、「これが日本一か」とつぶやいて、おっさんに向き直った。

日本一、ってあたしのこと？　訊いてみたいけど、あたしが口を開けるような状況じゃない。感動の親子再会なんだから。

「パパ、来てくれてありがとう。ぼく、ひとりぼっちで不安でたまらなかったんだ」

「一人って……ママは、どうしてる」

「ホントに連絡とってないんだね。ママは病気がひどくなって、ここにはまったく来てくれないよ。着替えなんかは週に一回、おばちゃんが来てくれてるんだ」

「病気？　どこが悪いんだ？」

「ママは、心の病気だって。……ぼくがいっぱい心配かけたからかな」

昴くんが目を伏せた。おっさんが昴くんに近寄って、そっと頭に手をのせる。

「……昴のせいじゃない。パパの、せいだ」

「あんなことしちゃったんだもんね。ママ、いっぱい泣いてたよ。でも、誤解しないで。ぼくはパパのこと、許してるから」

おっさんがハッと手を放した。そう思われてちゃ、つらいだろうな。

「違う、昴。パパは悪いことなんて何もしていないんだ」

「もういいよ。終わったことだもん。それより……パパ、今、何してるの？」

「パパは老人ホームで働いているんだ。ものすごくいい仕事だぞ」

「天国に行けるような？」

「まあ、そうだな。たまには人の命に関わるようなこともあるな」

「そっか。じゃあ、ぼく、手術が終わったらパパと一緒に住みたいな。その方がママも早く元気になると思うし」

「そうだな。パパも昴と住みたいよ」

「ホント？　パパ。やったあ！」

昴くんはバンザイをして、そのまま両手をおっさんに伸ばした。

抱きしめてくれのポーズに、おっさんは涙を流しながら、息子の顔をじっと見つめて、両手で強く抱きしめようとした。

「――なわけないだろ！」

＊＊＊

果物ナイフを振り上げる昴。

じっと見ている太一。

跳び込む敦子。

低いうめき声をあげる高雄。

真っ白なシーツに飛び散った赤い血。

真っ白なポロシャツの背中に広がる赤い血。

花火！　花火！　花火！

由紀の叫び声が部屋中に響く——。

＊

因果応報、地獄に堕ちろ！

——ァァァァ！

頭の奥で、叫び声が響いた。「助けて、助けて」と声がする。「許してください」と声がする。小学校五年生のあの夜のわたしだ。

ぱっくりと割れた手の甲から、吹き出るように血があふれ出し、白いパジャマを赤く染めていく。体の末端が徐々に冷たくなっていき、ああ、こうやって人は死んでいくんだ、と半分抜け出した魂がつぶやく。

世界は白く光るだけのかたまりとなり、あんな恐ろしい世界になど行きたくないのに、魂が体を離れようとする——と、左手をギュッと強く握られた。

「行こう！」

力強い声が耳元で響く。

ぼんやりとかすんだ視界に、敦子が映る。わたしの手を握ったまま、ベッドの脇にあるナースコールのボタンを押すと、ドアに向かって一気に駆け出した。

手を引かれるままに、足が動く。

廊下を走り抜け、ナースセンターの前を横切り、エレベーターのボタンを押したけど、ドアは開かず、階段にまわり、一段飛ばしで駆け下りる。ラスト数段。

「跳ぶよ！」

敦子の声が耳元で響き、体がふわっと浮いた。

着地してそのまま、外科病棟の廊下を駆け抜ける。内科病棟の廊下を駆け抜ける。産婦人科病棟の廊下を駆け抜ける。病人がいる。妊婦がいる。おばさんがいる。子どもがいる。看護師がいる。医者がいる。そんなのおかまいなし。

こんなに人がいるのにどうしてぶつからないのだろう。――敦子だからだ。夜店が並ぶ通りを走り抜けることができる敦子だからだ。

白くかすんでいた視界が、徐々にはっきりとしてくる。

「ここは病院ですよ！」

わたしたちをよけようとして、壁におしりをぶつけた看護師が、甲高い声をはり上げた。敦子はおかまいなしに走り続ける。大きな歩幅で、軽やかに跳ねるように。わたしの手をぎゅっと握って。

正面エントランスから病院を出ても走り続けた。いったいどこまで行くのだろう。

あの日と同じ。

国道沿いを走り続け、人気のない日の落ちかけた公園に飛び込み、敦子はようやく足を止めた。

「ここまで来れば、大丈夫」

大きく肩で息をしながら、敦子が言う。

「なにが……、大丈夫なの？　わたしたちが……、おじさん……、刺したわけじゃないのに……」

わたしも肩で息をしながら答える。走っているときは意識しなかったのに、立ち止まった途端、酸欠状態だ。視界はすっかり晴れ、今度は心臓が悲鳴をあげている。これでいい。魂はここにあるということなのだから。

敦子が大きく深呼吸した。すっきりとした顔でわたしを見る。

「だって、警察とかに事情聴かれたりするのって、面倒くさいじゃん。こういうときはとりあえず、逃げとかなきゃ。――世界は広い。遠くまで逃げれば、なんとかなるでしょ」

そう言うと、何がおもしろいのか、ゲラゲラと笑い出した。

それにつられてわたしも笑った。

あのときと同じ言葉――。死にたいとばかり思っていたわたしを道場から連れ出した敦子は、ひたすら走り続け、校区外の見たこともない場所で足を止めると、すっきりとしたりりしい顔で言った。

世界は広い。遠くまで逃げれば、なんとかなるでしょ。

わたしたちは笑い続けた。カラスの鳴き声がおかしくて、目の前を通りすぎていくカップルの身長差がおかしくて、欠けたベンチがおかしくて、「つぶつぶオレンジ」と書かれた空き缶がおかしくて、笑い続けた。

それにしても。

騙されていたのか。

昴くんがタッチーで、肉まんが昴。

確かに、いくらきれいな顔のタッチー？　に頼まれたとしても、肉まんの願いを叶えるためにここまでできたか、と考えると微妙なところだ。ただ、肉まんが土下座までして頼むほど真剣だったことには納得できた。自分のためだったのだから。それを、少年たちの友情と単純に思い込んだ自分が情けない。

あの時――まあいいか。感動の親子再会場面も、人生においてそうそう見れるものではない。絵にならない親子でも、目の前で抱き合う姿は、映画よりも心に響くものがある。

――なんて思っていると、敦子がいきなり、抱き合った二人に向かって、大きく一歩踏み込み、何かを払い落としたのだ。果物ナイフ。

ベッドを見ると、真っ白なシーツに赤い血が、花火のように飛び散っていた。

誰の血？　抱き合ったままの二人を見ると、おじさんの白いポロシャツの背中に、真っ赤な血がにじみ、じわじわと広がっていた。

その瞬間、頭の中から死の記憶が噴き出した。身近な人の死の瞬間など見なくても、自分の頭の奥に死の記憶はこびりついていた。死など、美しくもなんともない。真っ白になって、ただ、その場から消えてしまう。それだけだ。

そんな瞬間を見たいと思っていたことに、笑えてくる。

＊＊

何も考えず、夢中で走れた。階段を一段飛ばしで駆け下りて、最後の五段は跳び降りた。転んだらどうしよう、ぶつかったらどうしよう、なんてまったく思わなかった。誰かに怒られたような気がするけど、その人にどう思われたかなんて、まったく気にならなかった。

とにかく、気持ちよかった。

とっさに駆け込んだ公園で立ち止まった途端、こんなことにずっとびくびくしていた自分に笑えた。おかしくて、おかしくてたまらなかった。

ベンチに由紀と並んで座って、自販機で買ってきたジュースを飲んだ。口の中が甘ったるい。空になった「つぶつぶオレンジ」と書かれた缶を見る。

普通にスポーツ飲料にしておけばよかった。由紀みたいに。それも、ペットボトルだし。ちゃっかりしてる。自分だって「つぶつぶ、キモい」とか言って、あんなに笑ってたくせに。

——そうだ、笑ってた。由紀が。声を出して。

由紀はまだ肩で息をしながら、ごくごくとスポーツ飲料を飲んでいる。疲れによく効くアミノ酸入り、って書かれたラベルがにくい。

笑い上戸で、泣き虫で、怒りんぼで、正義感が強くて、情に脆い……。確か、それが由紀だったはず。だから伝えたいことがあっても、涙がジャマして言えない。

そうだ「ごんぎつね」だ。

小学校四年生の国語の時間、一人ずつ順番に感想を言わなきゃいけなかったのに、由紀は、途中で涙がぽろぽろとこぼれて、最後まで言うことができなかった。翌日、日記の宿題に書いてきた感想文を、先生がみんなの前で読んでくれたけど、こんなことを思っていたのか、ってびっくりしたのを憶えている。

口に出さずに思いを伝える難しさと誤解について——そんなことを書いていた。

今度はみんなの前で発表できるようにがんばりましょう、って先生に言われてたけど、今になって思うと、言葉に表しきれない気持ちがあったからこそ、書けたんじゃないかと思う。書く、っていうのは由紀が一番気持ちを伝えることができる方法だったんだ。

おばあさんのせいで（ずっと看病とか体力的なことだと思ってたけど）笑ったり怒ったりするヒマがなくなって、無表情になっていった。そのうち、ホントに感情までなくなってしまって、由紀の言葉は本心から出てくることじゃなくなった。本を読みながら養った想像力で、その場しのぎの調子のいいことを並べてるだけ。もちろん、書いてることだってそう。

だから、信じられない。

そんなふうにずっと思ってた。でもそれは、由紀に何も打ち明けてもらえないことが寂しかったあたしが、勝手にそういうことにしただけなのかもしれない。

由紀は大きな悩みが小さなものに思えるくらい、遠くの世界に目を向けていっただけなんだ。日常生活の泣き笑いなんて、広い世界のなかじゃたいしたことじゃない。

世界は広い。挫折を知らない頃のあたしもそんなことを思ってた。世界の広さは誰にでも平等なはずなのに。

由紀が言いたかったことを、これであたしは全部理解して、納得できたかな。

「ヨルの綱渡りは終わったのだ」

何度も繰り返し読んだ、最後の部分を口に出して言ってみた。

「え？」と由紀が顔をあげる。

「おっさんが雑誌を持ってた。文学愛好家なんだって、あれで」

そう言うと、由紀はほんの少し考えるように黙り込んで、バッグから白い封筒を取り出した。無言で差し出される。手紙、かな？

受け取って開けてみる。手のひらにおさまるくらいの小さな紙切れが出てきた。さらに小さく破っていたものを、セロハンテープでつなぎ合わせているみたい。外灯の明かりにかざす。白地に緑色のマス目のはいった、原稿用紙。鉛筆で何か書かれている。

ヨルの綱渡りは終わったのだ。——由紀の字だ。

「どうしたの？　これ」

「牧瀬にもらったの。ものすごくもったいぶって。バカみたい、わたしが書いたものなのに。でも、最後だけでも返ってくるなんて、ちょっとすごいよね」

本当にすごい。

牧瀬というのは、図書館デートのカレシだ。いったいどうやってこれを手に入れたんだろう。小倉は事故で死んだのに。小倉の家族に？　いや、もしかすると、出版社に問い合わせたのかもしれない。とにかく、こうやって由紀の手に戻って、あたしが受け取ることになったのは、運命としか思えない。

遠い国からビンに入って流れ着いた手紙を受け取った気分。長い旅だったね。由紀の小さく整った字を指でなぞると、涙が出てきそうになった。

「あんなことになって、ごめん。『ヨルの綱渡り』は敦子にだけ見せようと思って書いたのに、鞄を学校に忘れちゃって……」

由紀は本当に申し訳なさそうに言った。あたしだけのため。おっさんの言ってた通りだ。

「いいよ。多分、読み終わったら、どこかに応募しなよ、って言ったと思う。あ、でも、ペンネームにしてくれ、って言ったかな」

「なんで？」

「自分の名前で賞をもらえないことが悔しいかもしれないけど、由紀の名前で応募していたら、主人公があたしだってすぐにバレるでしょ。それじゃ、ダメなんだよ。主人公が特定の誰かじゃ、しらけちゃう」

「わかったようなこと、言うじゃん」由紀が笑った。

「言うよ。この際、言わせてもらうよ。確かに、一回の跳躍で全部放棄してしまうような、ダサい挫折をしたのは、あたしくらいかもしれない。でも、そんなこまかい設定はどうでもいいんだよ。それよりも、読む人が、もしかすると自分もヨルの綱渡りをしているかもしれない、って気づくことが大切なんじゃないの？」

「すごい」

パチパチと、由紀が手を叩く。

「敦子って、ホントはすごいのかもね。わたし、そういうこと考えてなかったもん。ちょっと、感動した」

あたしがそう思ったのは、おっさんが「ヨルの綱渡り」を好きだと言っていたからだ。おっさんが大嫌いな女子高生に自分の姿を重ねたかどうかはわからないけど、読みながら、わかるわかる、ってうなずけたからこそ、おもしろかったんじゃないかと思う。でも、せっかく褒められたんだから、これは黙っておこう。

――由紀のケータイが鳴った。メールみたい。

「昴くん、じゃなくて、タッチーからだ。……おじさんも、肉まん、じゃなくて、昴くんも、大丈夫って」

そっか、おっさん、大丈夫だったのか。好きでたまらないと思ってたのに、病院を出てから、今の今まですっかり忘れてた。

由紀がメールを見せてくれる。

だましててごめんなさい。タッチー（ホントは昴）のパパは、お姉さんの日本一の友だちのせいで、たいしたことなかったみたいです。失敗したときは、ムリヤリでも、りんごをむこうとして手が滑ったことにしよう、って二人で決めていて、パパも話を合わせてくれてるから、お姉さんも、なにか訊かれたらそれでよろしくお願いします。昴（ホントはタッチー）よりどうやら、病院での出来事は、計画的に行われたものみたい。由紀を利用するなんて、根性の座った子どもたちだ。下手をすれば手痛く仕返しされるかもしれないのに。もしかすると、殺人予告はあの子たちが書き込んだのかもしれない。だとすれば、あたしはおっさんを守ることができた、ってことかな。

あのとき、昴くんが枕の下からナイフを取り出したのを見た瞬間、体が動いた。まだ、そういう感覚が残っていたなんて。日本一の友だち、とは嬉しい言葉だ。

もし、裏サイトなんか気にせずに、剣道を続けてたら、あたしはどこに行き着くことになっていたんだろう。黎明館に入って、インターハイなんかで活躍して……たかな？　もしかすると、強くなるのがたまたま早かっただけで、高校に入ってからは、期待の割りにはたいした成績を残せずに、挫折してたかもしれない。

それよりは、剣道をやってたおかげで誰かの命を助けることができた、ってほうが格好良くないかな。この日のために剣道をやっていた。神様も目的のない才能の貸し出しなんかしないはずだから。——なんて、終わったことだから、こんな、さももっともらしく考えることができるんだ。

ナイフを叩き落としたのはいいけど、正直なところ、その後、おっさんの背中にじわじわと広がる血を見ながら、縁起ワルッ、って思った。

困ったな、と思って由紀を見ると、真っ青になっていた。

このままだと由紀が死ぬ。

そう感じて、由紀を連れて逃げ出した。どうしてそんなふうに感じたのかはわからない。前にも一度、同じような感覚になったことがある。確か、由紀が剣道をやめると道場に挨拶に来たとき。先生と由紀のママが話をしている横で、由紀は黎明と書かれた旗をぼんやりと眺めていた。そのときなぜか、このままだと由紀が死ぬ、って感じた。

ここから逃げ出さなきゃ、由紀が死んじゃう。そう思いながら由紀の手を引いて、行くあてもないまま、死が追いかけてくる気配がなくなるまで走り続けた。

病院から逃げ出した理由を、由紀には「面倒くさかった」って言ったけど、本当はそんなところだ。少し青い顔をしていたからって、由紀が死ぬって感じるなんて、あたしはどこかおかしいのかな。

人間は強い。

おっさんでも、あれくらいの血を流したところで、簡単には死なないのだから。

だいたい、シーツはともかく、ポロシャツが真っ白だったからいけないんだ。おっさんなんだから、モスグリーンとか、焦げ茶とか、そういう色を着ていれば、あれほど大げさに血が出たようには見えなかったはずなのに、まぎらわしい。――と由紀に言おうとしたけれど、止めた。

肩がわずかに震えている。

昴くんが殺人犯にならなくてよかった、とか思ってるのかな。かわいいなあ。カレシに見せてあげたい。由紀のために原稿まで取り返してくるくらいだから、こういう姿を見たら、一生俺が守る、なんてその場限りの熱い誓いをたてるかもしれない。なんだか、にくい。殺人予告でも書き込んでやろうかな。名前は牧瀬だっけ？　でも「死の預言書」をのぞきにくるようなバカじゃないんだろうな、きっと。

あー、あたしもカレシほしい。おっさん……みたいな、同じ年くらいの子。

——っていうか。おなかすいた。

「せっかくだから、ごはん食べて帰ろ。それで、お互いこの夏何してたか、報告会しようよ」

「そのカッコで？」

由紀が笑った。体操服。誰が見ているわけでもないし、べつにどうでもいい。

ベンチから立ち上がって、由紀に原稿の切れっ端を元に戻した封筒を渡した。せっかくカレシが取り返してくれたし、もったいぶって、とか言ってたから、由紀が持っておくほうがいいと思う。

由紀は黙って受け取って、からになったペットボトルとバッグを持って立ち上がった。

「何食べる？」と歩き出す。公園の入り口近くのゴミ箱につぶつぶオレンジの空き缶を捨てた。その上から、ペットボトルと——白い封筒が捨てられた。

「え？」由紀を見る。

「もう見たからいいよね」

しらっとした顔で言われた。あんなに気になっていた「ヨルの綱渡り」……の原稿。まあ、ただの紙切れといえばそれまでだけど……。なんだか、また笑えてきた。おかしくて、おかしくて。

由紀の右手をギュッと握って、思いっきり駆け出してしまいたい。あのときみたいに——

＊

敦子がいきなり、わたしの手を引いて走り出した。どこに行くの？　とは訊かない。

線香花火のじくじくのような日が沈む。

死にたいと願うわたしに、広い世界があることを教えてくれた敦子は、あの日から、たった一人のかけがえのない存在だった。あの家の地獄から解放される日が来たら、敦子にお礼を言って、この町を出て行こうと思っていた。なのに、あんなことが起こってしまった。

高校を卒業するまでに、別れの日がくるまでに、もとの敦子に戻らせる。それがわたしの目標だったはずなのに。いったい何をやっていたのだろう。——いや。

敦子の夜は明けた。敦子自身の力で。

黎明——道場の旗に書かれていた敦子の好きな言葉。多分、今でも意味は知らないままなんじゃないだろうか。

こういうことなんだよ、敦子。

醜いみみず腫れの走る手の甲でそっと、敦子に気付かれないように、涙をぬぐった。


ヨルが歩いているのは、深い谷底にかかる、細いロープの上じゃない。

暗闇の中にいるヨルは、足下のおぼつかなさに震え、背後から追いつめられる気配に怯え、落下しないことだけを考えながら、慎重に慎重に足を踏み出しているけれど、夜が明ければ、きっと、言葉を失い、三秒後には大笑いするはずだ。

だって、足下のロープは太く頑丈な橋の上にただ置かれているだけのものだったのだから。

ヨルを支える橋は、ヨルが思っている以上に丈夫だけれど、そんなには長くない。

けれど、夜明けを迎えたヨルは、好きなところに新しい橋を造ることができる。

さあ、行こう。

ヨルの綱渡りは終わったのだ。

追記

八月二十八日（金）

＊＊

今日は午後から「音楽会」。ボランティアグループの人たちと一緒に、あたしも一緒にスズを振ったりするんだろうけど、余計なこと考えずに、シャンシャンやるのは楽しそう。

由紀は今日も図書館に行ってるのかな。本を読むより、勉強する時間のほうが増えてるみたい。

その程度なら近くの大学で充分じゃないか、と言われないくらい難しい東京の大学に絶対合格してみせる。「そんな野望を抱いてたなんて、どうして教えてくれなかったの？」って訊ねたら、「敦子が訊いてこなかったから」って言われた。将来は外国に住みたいらしい。

先週会ったときは、目の下にクマができてた。夜遅くまで勉強するのもいいけど、由紀もしっかり体を動かせばいいのに。

あたしはおっさんと二人でやってた仕事を、一人で時間内にできるようになった。今では、脚立にあがって電球を代えることもできる。

最初にそれをやることになったときは、やっぱり抵抗があった。廊下で点滅している蛍光灯の下に脚立を置いたはいいけれど、どうしよう、ってしばらくためらってると、よろよろと歩いてきたアロハが、「代わりにやってやろう」と言い出した。大騒ぎはもうこりごり。その気持ちだけで、上がることができたんだから、あっけない。

介護福祉士、目指してみようかな。大学か専門学校に行って、剣道部に入るのもいいかもしれない。でも、先のことなんてわからない。

三日前、おっさんの息子、昴くんが亡くなった。

訃報を聞いたのは亡くなったその日で、一人でエントランスの掃除をしていたときに、小沢さんが教えてくれた。職員から香典を三千円ずつ集めているんだけど、草野さんはどうする？と訊かれて、最初は千円払おうかと思ったけど、そうするとその日発売の《ジュリア》の十月号が買えなくなってしまうから、五百円払うことにした。〈リズ〉のバッグと財布特集は買わないわけにはいかない。

驚いたことに、大沼さんから「葬儀に一緒に参列しない？」と誘われた。もちろんそれは断った。葬儀場でおっさんと顔を合わせるのがイヤだったから。おっさんはあたしと入れ替わりに九月から〈シルバーシャトー〉に復帰することになっている。

おっさんとはあれから一度だけ電話で話した。事務室に電話をかけてきて、館内放送で呼び出されたら、出ないわけにはいかない。おっさんは仕事をまかせきりになることを詫びて、自分と昴くんを会わせてくれたことのお礼を言ってくれた。それは、由紀のおかげだ。あたしが、おっさんがここにいることを、由紀に教えたわけじゃないんだから。

由紀からは、ヒマだから何かボランティア活動でもしてみようと思って、読み聞かせのグループに参加したらあの子たちと出会った、って聞いている。おっさんを捜すのは大変だったけど、何とかなったらしい。由紀がボランティア？　しっくりこないところもあったけど、由紀がそう言ってるんだし、もう終わったことなんだから、べつにどうでもいい。

おっさんがあたしにお礼を言うことなんか何もない。そう言って電話を切った。

昴くんが生きてるときでそれだったんだから、葬儀の場で、おっさんを元気づける気の利いた言葉が言えるとは到底思えなかった。本日はお日柄もよくご愁傷様でございました、というようなお決まりの言葉なら、大沼さんで充分だ。

その大沼さんは今、二つのことで頭を悩ませているみたい。

一つは、昴くんを亡くしたおっさんが自殺しないか、ってこと。あたしをライバル視してたかと思えば、いきなり馴れ馴れしく、「孝夫さんのためにわたしができることって何だと思う？」なんて相談してくるんだから、おばさんの思考回路は理解不能だ。

おっさんは自殺なんか絶対にしない。あたしも含めて、うじうじと殻にこもるタイプは意外としぶとく生きるのだ。殻にこもるっていう恥ずかしいことができない立派な人のほうが、自殺しやすいんじゃないかな。――これは大沼さんには言ってない。おっさんと大沼さんはとても合いそうで、それが少し悔しいから。

でも、最終的にはうまくいって、おっさんもまた幸せになってほしいな。

大沼さんを悩ませているもう一つは、水森さん、由紀のおばあさんのことだ。

退院して再びホームで生活しはじめた水森さんは、物言いはえらそうだけど、他の職員には穏やかに接するのに、大沼さんだけには厳しい。というよりは、大沼さんを「フジオカ」と呼び、ことあるごとに怒鳴り散らしてる。これぱかりは、本当に大変だな、って思う。今なら、大変だった由紀があたしに何も言ってくれなかったことにも納得できる。自分の家にこんな人がいて、それが血のつながった人だったら、あたしでも絶対に言わない。

血のつながりは大切だけど、つながってないからこそ割り切れることはたくさんあるはずだ。

ちなみにあたしは、水森さんとはけっこう仲がいい。年寄りとも相性があるのか、「死ねって言ったか？」の坂口さんはちょっと苦手。でも大沼さんがフォローしてくれる。

そのお返しに、一度水森さんに「フジオカさんって、何か悪いことをしたんですか？」って訊いてみた。「ウサギを食べた犬を殺して平気な顔をしている」らしい。縁起が悪いので、誰にも言わないことにしている。

あと数日でここともお別れだ。名残おしいけど、ここよりはやっぱり、学校のほうが楽しんじゃないかな。文化祭や、修学旅行もあるし。

昴くんの訃報は由紀に知らせていない。あたしが知らせることじゃない。

きっと、あのきれいな顔の男の子からメールが届いているはずだ。

＊

朝から牧瀬と図書館デート。

残りの夏休み、というより、残りの方が多かった夏休み、敦子は老人ホームのボランティアに明け暮れている。体育の補習としての期間は二週間だったけれど、おじさんが休暇届を出したこともあり、夏休みが終わるまで続けて欲しいと頼まれたのだそうだ。

おじさんとは結局どうなのだ、と先週会ったときに訊いてみたけれど、肉まんにつきっきりでそれどころではないらしい。そのうえ、同じ施設の大沼さん、あのきりっとした女性職員も、彼を好きで、狙っているんだそうだ。小沢さんとかいう、情報通のパートのおばさんが休憩時間に教えてくれたらしい。

その人によると、大沼さんは、女子高生のイタズラで人生を狂わされてしまった、可哀想なおじさんの心の傷を癒すため、荒療治として、女子高生の敦子と組ませて仕事をさせていたというのだから驚いた。こんな愛情表現もあるのか。世の中にはわたしが想像できない世界がまだたくさんある。というよりも、あのおじさんがもてるということが最大の謎だ。ライバルとか面倒くさい、と言っている敦子のメールから、「おっさん」の文字は消えつつある。

敦子が今一番関心を持っているのは書道らしい。文化祭に向けて何か書いてみないかと誘われた。悪くはない。書道は得意な方だ。おばあちゃんがまともだった頃にはよく、敬老の日のプレゼントとして自分で書いた色紙をプレゼントしていた。耐雪開花、おばあちゃんが好きな女性政治家の座右《ざゆう》の銘《めい》を書いて渡すという、安上がりな手段だ。

先日、敦子から「人間、体を動かさないと、ろくなことを考えない」と汚い字で書かれた色紙をプレゼントされた。老人ホームで書いたらしい。

ろくなことを考えない。まったくその通りだ。

あの日以来、病院には行っていない。

残りの夏休み、わたしは牧瀬と三日に一度、図書館デートをし、あとは自宅で小説を書いていた。「ヨルの綱渡り」ノンフィクション編だ。今回はたいした目的もなく、パソコンを買ってもらった記念に書いただけだったけれど、書き上げてみると、小倉に盗まれた最初に書いたものよりおもしろいような気がして、わたしの人生も最悪ってわけじゃない、と思えてきた。

今のところ、これは誰にも見せるつもりはない。

牧瀬は相変わらず、人が死ぬところを見たいらしい。

あの日の翌日、牧瀬にメールで図書館に呼び出された。結果が知りたくてたまらなかったらしい。誰も死ななかったけれど、とりあえず病院での出来事を報告した。

肉まんがお父さんを刺した、という展開に、牧瀬はどうして自分も居合わせなかったのか、とかなり悔しがっていた。わたしはもう、人が死ぬ瞬間を見たい、とは思ってないけれど、牧瀬を悔しがらせることができたことには満足している。

――隣に座っている牧瀬を見る。

難しそうな数学の問題を必死で解いている。休憩時間に、あの日に受けた模試の結果を見せてくれた。志望校の欄には難関大学の医学部の名前が並び、全部に合格ラインギリギリというC判定がついていた。なので、今は余計なことをしている場合ではないそうだけれど。

牧瀬が医者？　勘弁して欲しい。

牧瀬の透明なファイル型の下敷きには、英語の構文の暗記シートと一緒に、血の付いた原稿用紙の切れっ端が挟まれている。これは、昨年ある新人文学賞を受賞した作品の原稿だ、と教えてあげると、「きっと、これ以上のものが書けなくて、思い詰めていたんだろうな……」などと勝手に解釈しながら、かなり感激した様子だった。バカじゃないの。

――ケータイを開き、昨夜届いたメールを読み返す。

さくらお姉さん、昴のパパをつれてきてくれてありがとう。

ぼくはお姉さんにあやまらないといけないことがあります。ぼくと昴は二人でお姉さんにうそをつきました。

昴がパパに会いたかったのは、パパを殺すためでした。昴はママが大好きでした。でも、パパのチカンのせいで、離婚してから心の病気になってしまいました。人が怖くて、外に出られなくなってしまったのです。それ以来、病院にも来てくれなくなりました。パパが警察につかまる前は、ママは毎日来てくれていたので、昴はよく泣いていました。

でも、ある時から、昴は泣かなくなりました。

手術の成功率が七パーセントだということを、昴の世話を押しつけられた、いじわるな親戚のおばさんが、バラしてしまった時からです。おばさんは本当にいじわるで、病気が原因で太ってしまった昴に、パジャマも買ってくれませんでした。

死ぬ前に昴は、ママの病気を治すため、かたき討ちを考え始めました。パパが死ねば、ママは外に出られると思ったみたいです。でも、病院から出られない昴は、パパから来てくれないことには、殺すことができません。

そんな単純なことで治るのかは疑問だったけど、ぼくは昴のためなら何でもしてあげたくて、パパをつれてきてくれそうな人を探していたけれど、なかなかあらわれませんでした。

ぼくの手術の日までにどうにかしたいけれど、あと十日しかない。そんなときにあらわれたのがお姉さんでした。教会の人だったらダメかもしれない、と思ったけど、お姉さんの「さるかに合戦」にはかたき討ちが出てきたので、声をかけることにしました。

声をかけると、お姉さんは見た目とは違って、優しくておもしろそうだったから、ぼくは昴に、お姉さんを使って計画をたてよう、と言いました。

入れ替わろう、と言い出したのは昴です。見た目は元気そうな昴が頼むと、お姉さんが引き受けてくれるかどうか、わからなかったからです。ぼくたちはお芝居をすることにしました。

なかなか上手だったでしょ？

だけど、ぼくたちには一つだけ気になることがありました。お姉さんからきいた、地獄の話です。怖くなって、かたき討ちをやめようか、という相談もしました。でも、本当に怖いところなのかという疑問もありました。それで、ぼくたちの考えた地獄よりお姉さんの本の地獄のほうが怖かったら、やめにすることにしました。

でも、お姉さんは本を持ってきてくれませんでした。そして、ぼくたちの考えた地獄は本よりもすごいと言ったので、地獄もたいしたことはなさそうだ、とやっぱりかたき討ちをすることにしました。

気持ちが変わらないように、ぼくのケータイで、小学校の裏サイトから行ける「死の預言書」というサイトに、殺人予告も書きこみました。

あとはお姉さんしだいでした。でも、やっぱり少し怖かったので、かたき討ちをしても地獄に行かなくていい方法も考えました。何でも許してくれる教に入ればいいのだと思いました。ぼくたちは岡ちゃんに頼み、十字架のペンダントをもらうことにしました。

岡ちゃんはあの日の朝、超かっこいいペンダントをぼくたちにプレゼントしてくれました。ぼくたちはそれをすぐにクビからかけました。かなり重かったので、かたち討ちどころか、もっと悪いことをしても、許されそうでした。

そして、お姉さんは約束を守ってくれました。あとはお姉さんの知っているとおりです。いつもはカッコつけて「父ちゃん」と呼んでいたのに、会ったとたん「パパ」と呼んだ昴を見て、本当はパパのことも好きだったんじゃないかな、と思いました。

昴はおとつい死にました。

あの日からおとついまで、昴のパパは毎日、病院に来ていました。パパは本当はチカンをしていないと知って、昴はうれしそうでした。パパは、新しいパジャマも買ってきてくれました。お棺の中の昴は、そのパジャマを着ていました。昴の家は仏教のなんとか宗だって言ってたけど、ぼくはあの日の十字架をこっそりとパジャマのポケットに入れてあげました。

お姉さんについたうそのせいで、地獄におとされないためにです。昴はパパを殺せなかったから、ママの病気は治せなかったけど、パパと仲直りできて死ねたので、よかったと思います。

お姉さんのおかげです。ありがとうございました。

ぼくはもうすぐ退院します。学校に戻ると、友だちに会えるし、これからも新しい友だちができると思うけど、一番の友だちは昴だと思います。

お姉さんもあのかっこいい日本一の友だちを大切にしてください。

じゃあね。バイバイ。太一より

小説の最後にこれもつけようかな、と迷うところだけれど、やっぱりやめておこう。わたしと敦子の物語に、少年たちの友情は関係ない。

バイバイ、と削除ボタンを押した。

終章

九月一日（火）

＊

夏休みが終わった。今日は半日で終わりだけれど、明日からは六時間目までみっちりと授業がつまった日々が始まる。感覚を慣らすためにも、夏休み前の数日をこちらに持ってきてはどうだろう、と思うくらいだ。

午後から敦子と映画にいく約束をしている。帰りにケーキを食べるため、昼食は安くすませようと食堂でとることにした。四十日ぶりの紫織も一緒だ。

カレーの列に並ぼうとするわたしを、敦子は無理矢理ハンバーグドリアの列に連れて行き、頼みもしないのに、わたしのトレイと自分のトレイを片手に一つずつ持ち、席まで運んでくれた。

トレイを持てないことを気付かれたことよりも、重いハンバーグドリアの皿を載せたトレイを片手で持てていることに驚いた。それも両手にだ。敦子のことをどうのこうのと思いながら、わたしもいろいろなことから逃げていたのかもしれない。

初めて食べた食堂のハンバーグドリアは、想像以上においしかった。ドリアがさらにおいしくなる季節に向けて、ペットボトルに砂でも詰めて、右手を鍛えてみようか。

「休みはどうだった？」

食事を終えて、それぞれリップを塗り直していると、紫織に訊ねられた。

「別に、普通だったよね」と敦子を見る。

「うん。旅行も買い物も行ってない。紫織は？　ずっと親戚のとこ、行ってたんでしょ。いいなあ、東京。おしゃれな店とか、いっぱいあった？」

「思ったほどじゃなかったけど、欲しかったものは買えたかな」

「もしかして、そのバッグ？」

敦子が、紫織がリップを仕舞おうとしているバッグを指さした。転校生の紫織は、学校指定の鞄を未だに持っていない。

「それ！　〈リズ〉のバッグ。渋谷本店限定のだよね」

そう言って、鞄から今月号の《ジュリア》を取り出して開いた。端が折られたページの真ん中には、目の前にある紫織のバッグと同じものが大きく掲載され、横に角張った敦子の字で「ほし～い1」と書かれてある。

エナメルピンクの筒型バッグ。確かにかわいい。というよりも、これは色的にも、形的にも、紫織よりも敦子よりもわたしに一番似合うと思う。

「いいなあ。紫織んちって、もしかして、お金持ち？」

雑誌と現物を見比べながら、敦子が言った。

「ぜんぜん。パパは普通のサラリーマン。住宅メーカーの営業やってるのに、家、賃貸マンションだし」

「でも、そのバッグ高いよね」

敦子がさらに食い下がる。雑誌には四万八千円と書いてある。確かに高い。

「ああ、それは……。あんたたちだけに教えてあげるけど」

そう言って紫織は、友だちの自殺の話をしたときのように声を潜めた。まわりには誰もいないのに。

「前の学校いたとき、やっていたんだけどね。……嘘チカン」

「嘘、チカン？」敦子と同時に言った。

「電車で、助けて！　この人チカンです！　って、気の弱そうなおっさんつかまえて叫ぶの。で、示談金もらって、はい、おわり。そのお金で買ったんだ。もう、やってないけどね。ターゲットにしたおっさんが、パパの知ってる人だったみたいで、ヤバいって思ってやめたの。最近、そういうので警察につかまった人もいるし、早めにやめておいて正解。友だちなんか、はめようとした相手となぜかつきあってたし……。ああ、自殺した友だちなんだけど。彼女も、わたしがあんなことに誘わなきゃ、自殺することなかったかもしれないのに……。そういう意味では、わたしは人殺し。罪は一生消えないと思う……」

一瞬思い浮かんだおじさんの顔も、紫織の自己陶酔もどうでもよかった。

目の前に置かれた、エナメルピンクのバッグは、雑誌で見るより何倍も、ぴかぴか光ってかわいい。

これが欲しい！

「修学旅行で、買えないかな」敦子が言った。

十月末にある修学旅行の行き先は東京だ。海外に行く学校も増えてきているというのに、うちの学校は創立以来、行き先が変わっていない。でも、近年、宿泊先のホテルを拠点にしたフリープランをグループごとに立てさせてくれることになっている。渋谷や原宿に行けるのだ。ダサイ制服を着てだけれど。

「店に行けても、お金がないでしょ」

そっけなく突き放したわたしに、敦子が笑顔を見せた。

「じつは、あたし、〈シルバーシャトー〉でバイト代もらったんだ。補習以降の半月分。日給三千円って詐欺みたいな金額だけど、毎日行ってたからけっこういいお金になったし。ママにも、この夏の記念になるものを買ったら？　って言われてたから」

「夏の記念ね……。わたしも、あてがないわけじゃ、ないかな」

親にはパソコンを買ってもらったから、もう頼めないとして……。手元に置いてあるケータイを見る。三条ホームのあいつの連絡先はまだ削除していない。あの画像もだ。思い出すのもイヤで、そのままさわらずにいた。上手くやれば、バッグくらいのお金は出してくれるかもしれない。

もう一時半だ。映画は二時半からだから、そろそろ出なければ間に合わない。ゲームでもシリーズ化されている、アクション映画の続編だ。前回、二年前に公開されたときは、街が壊滅したところで終わったから、続きが気になって仕方がない。予告では、「人類壊滅の危機」と言っていた。ワクワクする。そうだ、紫織も誘ってあげよう。

「敦子とこれから映画に行くんだけど、紫織も行かない？」

「ごめん。毎月一日は、星羅のお墓参りに行くことにしてるから。じゃあね」

そう言って紫織はバッグを持ち、立ち上がった。

――あれ？

紫織の言葉がどこかひっかかり、敦子を見た。名残おしそうにバッグを見ている。

「バイバイ」

席を離れる紫織に手を振り、もう一度敦子を見ると、今度は雑誌を見ながらぶつぶつと計算をしている。アルバイト代の計算をしているのだろう。

「ねえ、敦子」

「うん？」

横から声をかけると、下を向いたままの空返事が返ってきた。

「紫織の友だちの名前、聞いた？」

「え？　なんて？」面倒くさそうに、敦子が顔を上げる。

「友だちの名前」

「あれ？　そんなこと言ってた？　何だっけ。……それより、こっちの財布、見て。かわいいでしょ。もしかして、これも買えるかもしれない。パパがご褒美に何か買ってくれることになってるんだ」

敦子は雑誌の次のページをめくった。ここにも真ん中あたりに「ほし〜い２」と書いてある。〈リズ〉の財布だ。バッグと同じエナメルピンクで、金具の部分がハート型になっている。

——可愛い！　バッグよりむしろ、こっちが欲しい。バッグは学校に持ってこれないけれど、財布なら毎日持ってくることができる。値段はバッグとほぼ同じ。いや、両方欲しい。バッグと財布がおそろいだなんて、ものすごくオシャレだ。

家庭でのストレスを、高級なモデルハウスに呼びつけた女子高生で晴らそうとした、みじめなおじさん。この際、あいつに両方買ってもらうことにしよう。

いや、それよりも映画だ。

遺書・つづき

星羅のことを思い出す。

彼女の死により、自分は深い悲しみを背負いながら生きていると思っていたけれど、実際、自身に災いがふりかかると、あれは他人事だったのだと痛感した。

たった一日、いや、一瞬で人生は転落する。いつもと同じ生活を送っていても、悪いことなんて何もしていなくてもだ。

すべては父親——バカ親のせいで。

あいつはこの夏、女子高生を脅迫し、猥褻《わいせつ》行為をしたとして、先月逮捕された。

被害にあったという女子高生は、当初、ことを公にせず、示談金として十万円を請求してきたらしい。それくらい払えばいいものを、それを断り、警察に訴えられたのだ。

新聞に実名も掲載された。犯罪をおかした少年は、未来を守るために実名を公表されないのに、バカ親が犯罪をおかすと、たとえ未成年の子どもがいても実名が公表される。罪のない犯罪者の子どもを守る、という法律はないのだろうか。

この地域によくある珍しくない名字であるにもかかわらず、新聞に載った犯罪者がわたしの父親であることは、三日もしないうちに学校中にバレた。——と同時に、迫害が始まった。

まずは無視、そして、陰湿ないじめ。

机やロッカーの中に数枚の下着が押し込まれ、すれ違いざまに「変態」とささやかれる。屈辱に顔を歪めようものならば、まってましたとばかりに、いたるところから爆笑が沸き上がる。

友だちとはまだいえなかったかもしれないけれど、転校してきた当初から仲良くしてくれていたYやAも、口をきいてくれなくなった。

直接的ないやがらせこそしないけれど、遠巻きに眺めて、わたしが近寄ろうとすると、何か用事を思い出したフリをして逃げ出す。でも、彼女たちを責める気はしない。

——わたしも星羅に同じことをしたのだから。

作家だという年上の彼氏とつきあっていた彼女は、ある日突然、学校裏サイトで槍玉にあげられ、それがきっかけで迫害され始めた。

内容なんて、どこの学校でも同じだ。

星羅をかばって、一緒に悪口を言われたりいじめられるのなら、我慢できたと思う。でも、標的なんて大抵の場合、一人と決まっているのだ。

星羅をかばった途端、矛先が自分に向くのが怖かった。たとえ、わたしが星羅をかばっても、星羅はわたしをかばってくれないような気がした。

彼女は自分のことよりも、彼氏のことばかり心配していたからだ。

彼氏が大変なことになってるみたいなの。

そんなのわたしの知ったことではない。親友よりも彼氏が大切な子なんて信用できるはずがない。

だから、メールがきてもずっと無視した。九九回無視した。

百回目は送信されないまま、星羅のケータイに残っていた。彼女は賭けをしていたのかもしれない。そして、わたしは裏切った。

星羅を殺したのはわたしだ。

たった一人の親友を殺してしまったわたしには、メールを送る相手もいない。

今日、机の中に、使用済みの生理用品が入っていた。――もう、ダメだ。これ以上の屈辱に耐えることなど不可能だ。

たとえ、我慢しても、転校しても、学校をやめても、就職しても、好きな人ができても、わたしには「変態の子ども」という肩書きが一生ついてまわるのだ。

人生をリセット、したい。

星羅の死によって、「死」に触れ、理解したつもりでいたけれど、そんなのは、ナルシストの戯言《ざれごと》みたいなものだ。

でも、今ならわかる。

死とは、――いや、書かないでおこう。これは、死にゆく者の、唯一の特権であるのだから。

さようなら。

滝沢紫織

本書は書き下ろし作品です。

Hayakawa
Mystery World

〈ハヤカワ・ミステリワールド〉
少《しょう》女《じょ》

二〇〇九年一月二十五日　初版発行
二〇〇九年二月　十五　日　6版発行

著　者　湊《みなと》　かなえ
発行者　早川　浩
発行所　株式会社　早川書房
郵便番号　一〇一 - 〇〇四六　東京都千代田区神田多町二 - 二
電話　〇三 - 三二五二 - 三一一一（大代表）
振替　〇〇一六〇 - 三 - 四七七九九
http://www.hayakawa-online.co.jp
印刷所　中央精版印刷株式会社
製本所　中央精版印刷株式会社

ISBN978-4-15-208995-3　C0093　定価はカバーに表示してあります。

ハヤカワ・ミステリワールド

愛闇殺

笹倉 明

46判上製

恐喝事件から派生した殺人事件を取り調べ中の刑事岩海晴之は、手口に絡む容疑者の一言に余罪の存在を嗅ぎとる。相棒のバンチョウこと坂野梓と捜査を進める中、バンコクで不審死をとげた男の存在が浮かび上がる。勇躍、現地へ赴いた彼らが見たものは、大河のように深い愛の因果と闇に流れた血――直木賞作家による書き下ろしミステリ

ハヤカワ・ミステリワールド

アルレッキーノの柩

真瀬もと

46判上製

ヴィクトリア朝ロンドン。金欠で途方に暮れる藤十郎はトラファルガー広場で十三回めのため息をついた。だが、そのため息が原因で赤眼鏡の公爵に連れられ、報酬と引き換えに《十二人の道化クラブ》で起きた怪事件の調査を引き受ける事に。クラブの奇妙な風習や魔女伝説に隠された真実とは？　古き良き探偵小説の香り漂う本格ミステリ

ハヤカワ・ミステリワールド

お楽しみはこれからだ！
Jazzy Murder

真瀬もと

46判上製

その部屋はおおむね密室だった――人気女優に届ける犬のお供で英国から渡米したメイドのケイトは、変死体で発見された当の女優の隣室に泊まったせいで殺人の容疑者に。ケイトさえいなければ完璧な密室状況だった。女優は生前、トラブル続きだったというが……禁酒法時代の華やかなハリウッドを舞台に展開する犬とメイドの本格推理！

ハヤカワ・ミステリワールド

堕天使拷問刑

飛鳥部勝則

46判上製

両親を事故で亡くし、母方の実家に引き取られた中学一年生如月タクマ。が、そこではかつて魔術崇拝者の祖父が密室で怪死した事件が起きていた。さらに数年前、祖父と対立していた一族の女三人を襲った斬首事件。二つの異常な死は、祖父が召喚した悪魔の仕業だと囁かれていた。そんな呪われた町でタクマは「月へ行きたい」と呟く少女に出会うが……